La grâce

DU MÊME AUTEUR

Les anges brûlent, Fayard, 2003.

Un jeune homme triste, Fayard, 2007.

Les Grands Gestes la nuit, Fayard, 2010.

Zanzibar, Fayard, 2013

Voyage autour de mon sexe, Grasset et Fasquelle, 2015.

Thibault de Montaigu

La grâce

PLON
www.plon.fr

© Éditions Plon, un département de Place des Éditeurs, 2020
92, avenue de France
75013 Paris
Tél. : 01 44 16 09 00
Fax : 01 44 16 09 01
www.plon.fr
www.lisez.com

Mise en pages : Graphic Hainaut
Dépôt légal : août 2020
ISBN : 978-2-259-28437-0

À la mémoire de Christian

*Tard je vous ai aimée, Beauté si ancienne
et si nouvelle, tard je vous ai aimée.
C'est que vous étiez au-dedans de moi, et,
moi, j'étais en dehors de moi.*

Saint Augustin

Première partie

1.

Si je suis passé à côté de Christian du temps de son vivant, c'est à cause de préjugés minables. Mon oncle paternel incarnait à mes yeux une vieille France confite dans son passé, à mille lieues des trépidations de la capitale. Une vieille France où l'on vivait dans des maisons mal chauffées aux armoires vastes comme des tombeaux et aux fauteuils toussotant de poussière. Où des maries-louises ovales entouraient les photos d'aïeux endimanchés, dont on ne se rappelait plus grand-chose. Où les grives et les faisans rapportés de la chasse, comme dans une nature morte de Chardin, pendaient à un crochet de la cuisine dans l'attente d'être plumés. Où le fermier d'à côté passait boire un godet le soir, casquette vissée sur la tête, les lignes de la main noircies par la terre, commençant chacune de ses phrases par «Sans s'mentir...». Une vieille France dont l'enfant que j'étais écoutait les derniers murmures sans se rendre compte que bientôt ce monde-là ne serait plus.

À tout ça, Christian ajoutait la religion. Aristo passe encore, mais prêtre franciscain... Je ne l'avais vu que trois ou quatre fois vêtu de sa robe de bure et de ses sandales, cependant il me suffisait de savoir qu'il les portait pour le reléguer aussitôt dans le vestiaire de ma mémoire d'où j'espérais qu'il ne ressortirait pas avant la prochaine réunion familiale.

Mon père nous avait tenus, mon frère et moi, à l'écart de sa famille, nous trimballant de loin en loin à des mariages, à des enterrements, à de grands raouts où tout le monde semblait connaître tout le monde sauf nous. Il nous avait soufflé une technique imparable pour nous sortir de l'embarras : peu importe qui vient te saluer, tu dis bonjour mon oncle, bonjour ma tante. Et ça marchait à tous les coups. Lui, au contraire, était comme un poisson dans l'eau : ce n'était plus mon père, mais Manolo, le glorieux aîné, le futur comte de Montaigu, l'éternel jeune premier accueilli en héros dans son pays. Manolo, si brillant et si charmeur qu'il parvenait à séduire jusqu'aux vieilles tantes arc-boutées sur l'étiquette, lesquelles, émues par sa beauté et son éloquence, lui passaient ses divorces, ses amantes, ses remariages, ses enfants nés de différents lits, son style cosmopolite et tapageur, si éloigné de la piété et de la discrétion aristocratique auxquelles aurait dû le contraindre son nom. Manolo adulé par sa mère, Bonne Maman, que je n'avais pas connue et à propos de laquelle on rabâchait toujours la même histoire. Quand Manolo, en vadrouille quelque part sur le globe, daignait appeler à la maison, ses frères et sœurs tendaient le combiné à leur mère en lançant d'un ton moqueur : « Tiens, voilà ton fiancé ! » Il y avait d'autres anecdotes familiales encore, d'autres parents aux surnoms insolites – Pitchoun et Gros Nono, et Guéguette et Pancho, et la bizarrement nommée tante Popo. Et puis le grand Cricri bien sûr…

Dans mon souvenir, il m'apparaît toujours comme cet échalas avec ses gilets aux coudières rapiécées, ses pantalons flottants et ses godillots pareils à des parpaings. Avec ses expressions campagnardes aussi, son phrasé désuet, sa voix traînante : «Alors, qu'est-ce que c'est que ça? On fait pas un bécot à son tonton, là?» Ses embrassades interminables alors, et cette odeur rêche de vieux pull. L'odeur même du passé. «Bon, allez, qui vient avec moi à la barza dans ma dodoche?»

Il ne me parlait jamais de sa foi, et me questionnait encore moins sur la mienne. Tout juste m'avait-il offert, lorsque j'étais gamin, une petite croix franciscaine en bois. Un «T» qui me faisait songer aux lettrines médiévales de mes livres pour enfants. Plus tard, j'apprendrais qu'il s'agissait de la lettre taw dans l'alphabet hébreu. Selon l'Ancien Testament, Dieu recommande à Ézéchiel de la marquer sur le front des hommes «qui soupirent et qui gémissent». Étais-je en train de soupirer et de gémir alors?

J'ai essayé de la retrouver, maintenant que cette révélation insensée nous a réunis. En vain. Me restent quelques souvenirs. L'un surtout, où je crois avoir saisi sa vérité. L'ironie de la chose, c'est qu'il n'avait fait que m'écouter, ce jour-là, sans dire un mot de lui-même : je vivais ma première rupture amoureuse, j'étais dévasté, persuadé que toute séparation n'était qu'un avant-goût de la mort, et que j'allais les répéter encore et encore dans le seul but de m'habituer à cette idée absurde qu'un jour je ne serais plus. Tant de doutes, tant d'interrogations m'écrasaient en comparaison desquels les problèmes du monde et d'un

malheureux frère franciscain en particulier me sem-
blaient bien peu de chose. Christian ne disait rien. Il
se contentait de me laisser parler, sans me servir les
phrases de réconfort habituelles. Et ce réconfort, éton-
namment, c'est son silence qui me l'apportait. Chaque
mot résonnait en lui comme le fragile écho de ma douleur qu'il faisait sienne. Je n'étais plus seul au monde.
J'étais même, à ce moment précis, la seule personne
qui comptait à ses yeux sur terre.

Cette curiosité, cette bienveillance, quand j'y repense,
il les avait toujours eues à mon égard. Et ce n'étaient pas
de simples questions d'usage ni de politesse. Non. Il lui
importait vraiment de savoir si je poursuivais la guitare
et quel groupe j'écoutais, et s'il pourrait me voir un
jour sur scène avec ma bande dont le nom – Massacra
Ancestra Destroyer – le faisait bien marrer.

Il possédait ce don rare de céder toute la place à
l'autre. Et, parmi ces autres, il y avait une personne
à laquelle il semblait particulièrement attaché, dont il
était toujours inquiet de savoir comment elle allait
et dont j'avais du mal à comprendre qu'il puisse se
soucier autant : ma mère.

Elle était l'exact opposé de Christian : parisienne,
mondaine, ultra-raffinée. Dieu et les plus démunis ne
faisaient guère partie de son cercle d'intimes où se
croisaient grandes bourgeoises et écrivains en vue,
journalistes bourlingueurs et pique-assiettes snobinards.
La tendresse de Christian pour ma mère, son attention
à son égard dépassaient mon entendement. Évidemment,
je ne savais rien encore de ce qu'ils avaient partagé par
le passé. Je ne savais rien de la vie de Christian ni de la
place qu'un jour il prendrait dans la mienne.

2.

Il y a un moment, un âge, où l'on découvre avec stupeur que l'on a été jeté dans cette vie sans raison. Que l'on aurait pu ne jamais exister et pourtant que l'on est, jailli du néant pour un jour y retourner. Il y a un moment, un âge où l'on entre brutalement dans le pourquoi du monde, et la raison tremble à l'idée que rien ne justifie notre présence ici-bas. Peut-être certains en sont-ils à peine conscients, ou alors chassent-ils aussitôt cette pensée, car on ne peut la contempler sans défaillir d'angoisse. Peut-être certains quittent-ils cette terre sans même y avoir songé un instant, traversant l'existence comme des fantômes au milieu d'autres fantômes. Mais à ceux qui s'y arrêtent, à ceux qui implorent une réponse, est donné de connaître la plus haute et la plus vertigineuse des solitudes. Et cette solitude, en ce mois de décembre caniculaire à Buenos Aires, j'en étais devenu moi-même l'otage.

Il n'y avait pas eu d'événement. Pas de drame ni de signes avant-coureurs. J'avais trente-sept ans, marié, deux enfants, une passion qui était devenue l'essentiel de mon travail. Même ce vieux rêve adolescent de déménager à l'autre bout du monde dans une ville vierge de souvenirs, je l'avais réalisé. Alors quoi?

D'un coup, j'avais perdu tout désir, toute envie, toute adhérence au réel. La moindre tâche me semblait exiger un effort insurmontable, et je passais mes journées crucifié à mon lit, n'espérant que le sommeil. Un sommeil brutal, implacable, qui me déchargerait enfin de la fatigue d'être moi. Mais toujours revenait l'heure du réveil, lorsque la lumière du jour éventrait mes paupières. Alors ces pensées que je croyais disparues revenaient vrombir à mon oreille, pareilles à des mouches infatigables. Et rien – pas même les quarts de Lexomil pris à répétition, pas même les paroles apaisantes de ma femme – ne les faisait taire. Je végétais dans un brouillard d'angoisse et de désastre.

Ce que je craignais le plus, c'était de croiser mon visage hagard dans le miroir ou, pire encore, de m'occuper de mes enfants. Je me sentais tellement médiocre, tellement indigne d'être leur père que j'en venais à croire, dans mes heures les plus noires, qu'ils seraient plus heureux sans moi, sans ce type incapable de les serrer dans ses bras sans avoir envie aussitôt de fondre en larmes.

Chaque jour, volets fermés, reclus dans l'obscurité, je consultais sur Internet les horaires des vols pour El Calafate. Fuir au fin fond de la Patagonie, quitter femme et enfants, organiser ma propre disparition, c'était la seule issue à mon cauchemar. Mourir sans mourir, voilà ce que j'aurais voulu.

Qui m'a donné le numéro de Margarita? Je ne m'en souviens plus. Dans une ville qui compte plus de psys que n'importe quelle autre sur la planète, j'imagine que consulter est la solution qui s'impose pour soigner sa dépression, puisqu'il faut bien l'appeler par son nom.

J'ai cru que je n'arriverais jamais jusqu'à son cabinet. Il faisait une chaleur à s'arracher la peau, ce jour-là. Les rares passants s'enfonçaient dans l'ombre des murs tandis qu'au-dessus, crevant les façades des immeubles, les blocs des airs conditionnés crachaient une eau tiède et poisseuse. La sueur même de cette ville tentaculaire, agonisant sous le soleil.

J'ai fini par trouver le bâtiment, entre un restaurant casher et un magasin de tissus bon marché. Tout le pâté de maisons était plongé dans l'obscurité à cause d'une coupure d'électricité comme il y en a souvent à cette époque de l'année, la faute aux climatiseurs qui moulinent sans relâche. J'ai dû monter par des escaliers étroits et j'ai trouvé la porte ouverte. Margarita m'attendait dans une pièce nue et sombre à peine éclairée par le jour.

«*Hola*, Thibault. *Te estaba esperando*», s'est-elle écriée en m'embrassant. Une petite femme brune d'une soixantaine d'années, qui me souriait d'un air extatique. Depuis combien de temps n'avait-on accueilli mon visage lugubre avec un tel enthousiasme?

«Bon, alors, raconte-moi, comment te sens-tu?», m'a-t-elle demandé après m'avoir invité à m'asseoir en face d'elle sur un canapé.

Vaste question. La seule. J'ai essayé de lui expliquer, dans un espagnol hésitant, ce qui se passait, mais plus j'essayais de formuler des phrases sensées, plus l'angoisse me comprimait les poumons. J'osais à peine la regarder. Mettre des mots sur mon malaise le rendait soudain plus monstrueux encore. Était-ce vraiment moi, ce type qui ne savait plus rien de ce que voulait dire sa propre vie? Était-ce moi, ce type assis dans le noir, à dix mille kilomètres de Paris, en train de confier à une inconnue ses terreurs enfantines devant l'expansion de l'univers?

J'avais honte, mais Margarita m'encourageait du regard. Alors je continuai de parler à tort et à travers en espérant que de cette bouillie elle pourrait tirer une parole, une phrase, quelque chose qui me soulagerait. Mais elle est restée silencieuse jusqu'à ce que j'évoque mes projets de départ en Patagonie.

« El Calafate! s'est-elle écriée. Mais tu n'as pas idée. C'est affreux comme ville. Qu'est-ce que tu irais faire là-bas?

— Je ne sais pas. Je n'y ai pas réfléchi », ai-je avoué bêtement.

Elle m'a souri.

« El Calafate, non mais vraiment! Qu'est-ce qui t'est passé par la tête? Tu vois, le problème en ce moment, c'est que tu es trop angoissé pour réfléchir correctement.

— Alors qu'est-ce que je dois faire?

— Arrêter de réfléchir.

— Justement, je n'y arrive pas. J'ai une mobylette dans le crâne, ça n'arrête pas de tourner. J'ai besoin de savoir ce que je dois faire de ma vie, sinon je vais en crever.

— Ne t'inquiète pas. Tu vas le savoir. Mais pas maintenant. On va d'abord faire un exercice. Ferme les yeux. »

J'ai essayé, mais je n'ai pas pu. Mes paupières se rouvraient aussitôt, je refusais de me trouver seul avec moi-même. Seul avec mes pensées morbides et entêtantes.

«Je ne peux pas! Je ne peux pas fermer les yeux!

— Ce n'est pas grave. On va essayer autre chose. Tu m'as dit que tu étais écrivain. J'aimerais que tu notes de quoi tu as peur.

— Ça fait des semaines que je n'écris plus rien. Je ne peux même pas tenir un stylo.

— Parce que tu as peur de ce qu'il y a là, au fond de toi. Mais peut-être qu'en écrivant tu trouveras le chemin pour sortir de cette crise.

— Et si je ne le trouve jamais?

— Ne t'inquiète pas. Si tu commences à chercher, tu auras déjà trouvé… Et je suis prête à parier que ce ne sera pas El Calafate.»

3.

On arrive à l'abbaye Sainte-Madeleine du Barroux par la route de Carpentras au milieu d'un puzzle de vignobles. Le bâtiment, austère, dans le plus pur style roman avec son clocher carré et ses murs de pierres plates, coiffe le sommet d'une colline boisée derrière laquelle se dresse le cône sombre du mont Ventoux.

À mon arrivée, le soir était en train de tomber et le parking désert. Je devais me dépêcher; la porterie fermait à dix-huit heures. Ensuite, impossible d'entrer avant l'aube.

Au moment de sortir mon sac du coffre et de fermer la voiture à clé, une brève inquiétude m'a saisi. Ce n'était pas seulement l'idée de rester cloîtré dans un lieu inconnu durant trois jours, mais celle de mettre soudain ma vie en suspens. De m'éclipser de ma propre histoire. Car personne au fond ne savait que j'étais là. Même ma femme, restée en Argentine, ne connaissait à peu près rien des détails de mon périple. Quant aux bénédictins du Barroux, ils n'avaient aucun moyen de m'identifier : lorsque je les avais appelés, j'avais menti sur mon nom de peur qu'ils me refusent l'hospitalité s'ils apprenaient que j'étais l'auteur d'un essai où j'avais abordé, entre autres joyeusetés, la masturbation et les rêves érotiques chez les religieux. Le seul élément qui me rattachait encore au monde extérieur, c'était cette voiture. Une Lancia toute simple, qu'on m'avait prêtée pour le voyage. Et voilà que je m'apprêtais à l'abandonner sur le parking, comme Dupont de Ligonnès avait abandonné la sienne derrière le Formule 1 où les enquêteurs devaient la retrouver plus de quinze jours après le drame.

Ligonnès… Voilà l'homme que j'étais venu chercher ici. Ou plutôt son fantôme. Car, depuis sa disparition cinq ans plus tôt, nul n'était parvenu à remonter sa trace. C'était peut-être la plus grande énigme criminelle du nouveau siècle, et j'avais décidé d'en faire le sujet de mon livre après que Margarita m'avait convaincu de me remettre à écrire.

Enfin, écrire est un bien grand mot. Disons que je noircissais des pages de détails factuels, d'embryons de scènes, de morceaux d'interviews et de théories emberlificotées. Manière d'échapper au sombre brouillard de mes journées. Les cachets de sérotonine, les visites routinières chez ma psy, les séances de yoga et de méditation auxquelles j'avais fini par consentir malgré de solides a priori me soulageaient en partie. Mais la vieille angoisse continuait de me coller aux basques, et il suffisait que je me retourne sur moi-même un instant pour la retrouver là. À sa place.

Ce livre était bien plus qu'un livre : un traitement dans lequel je plaçais mes derniers espoirs de guérison. La plupart des gens autour de moi en doutaient. Ils voyaient mal comment un crime aussi sordide me sauverait de mon mal de vivre. Ce que je n'osais leur dire, c'est que, pour une raison obscure, l'histoire de Ligonnès me parlait. Et qu'en le recherchant c'était moi que j'espérais trouver. J'allais bientôt comprendre pourquoi.

Tout le monde se rappelle l'affaire : en avril 2011, on avait déterré les cadavres de quatre enfants et de leur mère dans le jardin de la maison familiale à Nantes ; les victimes avaient été droguées aux somnifères et assassinées dans leur sommeil à l'aide d'une carabine 22 long rifle ; le père, Xavier Dupont de Ligonnès, était porté disparu depuis les faits. Peu de temps avant, il avait envoyé à ses proches un courrier expliquant le départ en catastrophe de la famille aux États-Unis dans le cadre d'un programme de protection de témoins. Auteur d'un guide destiné aux représentants de commerce, pour lequel il était amené à sillonner le pays, il avait été approché par la DEA, la Drug Enforcement Administration, prétendait-il, afin d'enquêter sur le trafic de drogue dans les discothèques françaises. Hélas, certains indices laissaient penser qu'il avait été repéré, sa famille était désormais en danger. D'où cette fuite précipitée.

Très vite, la police avait découvert que Xavier Dupont de Ligonnès avait quitté Nantes en voiture pour descendre dans le sud de la France, faisant étape dans des hôtels.

Le 14 avril, il s'arrête au Formule 1 de Roquebrune-sur-Argens en bordure de l'autoroute A8. Il y passe la nuit et quitte l'établissement l'après-midi du lendemain. Une caméra de surveillance a capturé ce qui restera comme la dernière image du meurtrier : un homme grand, brun, la cinquantaine, traverse un parking, un sac noir sur l'épaule. Sa forme oblongue laisse penser que l'étui contient une carabine. On est au mois d'avril, le soleil brille. Ligonnès franchit la grille coulissante et disparaît du champ.

Là commençait mon livre.

Tant d'éléments me fascinent dans cette histoire : le fait qu'un type de bonne famille, affable, chaleureux, intelligent selon les témoignages, liquide du jour au lendemain les siens sans que rien laisse présager un tel geste ; ou encore que ce même type se donne le temps de vider la maison et de la nettoyer de fond en comble alors que sa femme et ses enfants gisent dans le jardin, enveloppés dans des sacs-poubelles et recouverts de chaux vive ; puis que cet homme prenne la route le plus tranquillement du monde, sans jamais chercher à se cacher, faisant étape dans de bons restaurants, flirtant avec la gérante d'un hôtel de charme, descendant de sa chambre au petit déjeuner un polar à la main, ainsi qu'on peut le voir sur une caméra de surveillance du Formule 1 ; mais plus sidérant encore, c'est qu'il réussisse à disparaître. À s'évanouir dans la nature. À se transformer en un pur personnage de fiction.

Quelque chose me trouble et m'attire dans cette éclipse. Cette tentation de fuir sa propre vie, de redevenir une page blanche, un livre qui n'a pas encore débuté. Voilà ce que je recherchais déjà dans le mirage d'El Calafate. Et dans la chambre du Formule 1 où Ligonnès avait passé sa dernière nuit avant de se volatiliser et où je m'étais installé à mon tour pour commencer mon enquête.

Le matin, je quittais l'hôtel et traversais le parking, avant de prendre un chemin chaque fois différent. J'essayais d'imaginer où ses pas avaient pu mener le fuyard. Vers le Rocher de Roquebrune aux grottes et aux failles vertigineuses ? Vers la forêt de la Colle du Rouet avec ses sentiers effacés par les ronces ? Vers Lorgues et Draguignan où il avait vécu quelques années auparavant ? Il existait un tas d'endroits dans les environs où il aurait pu aller, mais il y en avait un surtout, un peu plus au nord dans le Vaucluse, dont j'avais toujours imaginé qu'il était le refuge idéal pour disparaître : l'abbaye Sainte-Madeleine du Barroux où, jeune célibataire, il avait coutume de faire des retraites spirituelles.

4.

Tout de suite, j'ai compris que ce séjour était une erreur. Je n'avais rien à faire ici. La cellule où un bénédictin en coule noire m'avait conduit était minuscule : un lit chétif, un bureau avec sa chaise en bois et un coin lavabo. J'avais manqué le dîner et rêvais d'un verre de vin ou d'un morceau de quelque chose avant de me rappeler que la porterie était fermée, et cette idée m'angoissait, me rappelant le souvenir oppressant d'une autre cellule : celle du commissariat de Nîmes où j'étais resté une nuit et une journée entière après que les flics m'avaient coincé, ivre et défoncé, au sortir de la feria.

Je n'arrivais pas à trouver le sommeil et tournais en vain dans mon lit. La 3G ne passait pas et la maigre étagère au-dessus du bureau ne comptait que des vies de saints toutes plus abracadabrantes les unes que les autres. Sans doute à cause de l'anxiété, j'étais pris d'une furieuse envie de pisser et, n'ayant pu trouver les toilettes à travers le dédale de couloirs sombres, j'étais obligé d'aller me soulager régulièrement dans le lavabo. Mais le pire était le Christ en bois au-dessus du lit dont j'imaginais le regard fixé sur moi. Le regard d'un mort.

Non. Je n'avais rien à faire là. Je vomissais la religion. Et plus que tout le catholicisme avec sa quincaillerie ringarde de crucifix et d'hosties en carton-pâte, de cierges à deux francs et de bénitiers rince-doigts. Quatre ou cinq fois, mon grand-père nous avait traînés, mon frère et moi, à des messes en Anjou, dans une vaste église du Moyen Âge. Cérémonies interminables que je passais, les pieds et les mains gelés, assis sur une chaise en paille tressée à vous faire remonter le coccyx dans le crâne, à bâiller et rêvasser, tandis que, derrière le pupitre, une godiche à serre-tête chantait d'une voix de fausset allélu-alléluia. Ce serait mon dernier contact avec l'Église, je m'en étais fait la promesse.

Dieu était mort. L'affaire classée. La foi se résumait à des superstitions qui insultaient le bon sens. Je préférais, à ces morales périmées, la frénésie des sens et les caprices de ma volonté qui seuls me donnaient l'impression d'être vivant. Recevoir sur sa peau la gifle du vent quand on roule à deux cents à l'heure sur l'autoroute; faire l'amour à une femme en contemplant son visage à l'agonie dans la jouissance; vider des bouteilles dans de grands éclats de joie et danser comme un animal, le cerveau électrisé par les drogues blanches.

Je ne vivais que pour l'intensité du moment présent et rien n'était plus intense que le sentiment de transgression. Quelle exaltation j'avais éprouvée en découvrant, adolescent, *Histoire de l'œil* de Bataille où cet autre garçon, quelque part dans une église en Espagne, arrachait l'œil d'un curé pour l'introduire dans le con de sa jeune amante! Provoquer, outrager, piétiner le passé : juste retour des choses, après tous les crimes et les bêtises proférées à travers l'histoire par les hommes d'Église.

Je n'étais pas seulement remonté contre les mono-théismes, je me moquais pareillement de ce grand supermarché spirituel qu'était devenue mon époque et où chacun piochait indifféremment, selon ses goûts et son budget. Reiki, psychologie positive, néochama-nisme, astrologie, méditation zen, sexualité tantrique. Spiritualités de salles de sport. Croyances sur mesure. Le divin lyophilisé. Tous parlaient de bien-être et de paix intérieure et d'harmonie universelle, mais au fond ils ne parlaient que d'eux-mêmes. Et, eux-mêmes, je le voyais, étaient aussi paumés que moi.

J'ai entendu les cloches sonner à trois heures du matin, puis à six, et je me suis levé.

J'avais en tête d'inspecter les lieux et de tout noter, mais j'ai vite compris que la tâche serait compliquée. Il existait deux cloîtres, celui des retraitants et celui des moines, et le second était interdit aux premiers. J'ai insisté auprès du jeune bénédictin chargé de la porterie. Rien à faire. Il fallait respecter le vœu de solitude et de silence des frères. En retournant à ma chambre, j'ai remarqué une petite porte en ogive cachée derrière l'escalier, avec la mention «Clôture monastique. Entrée interdite». Elle aussi a résisté à ma curiosité. Aux étages, les couloirs se terminaient en cul-de-sac, et les cellules étaient vides ou occupées par quelque ecclésiastique de passage dont le nom était affiché sur la porte : «Frère Grégoire Morlière», «Mgr Olivier Pascal», «Frère Benoît Trauchessec»...

Quant à l'intérieur, il était en tout point identique au mien : un lit, une table et sa chaise, l'éternel crucifix accroché au mur et quelques livres saints.

Je suis redescendu à la porterie et j'ai gagné le parking, dans l'idée de contourner le bâtiment, pour accéder au jardin réservé à la promenade des moines et à l'entretien du potager. Très vite, le chemin qui longeait l'enceinte s'est mis à dégringoler dans un fouillis de chênes verts et de buissons batailleurs. Par intermittence, je pouvais apercevoir entre les branchages le grillage qui devait délimiter le parc, puis aussitôt il disparaissait derrière les feuillages épais. Au bas de la colline, j'ai dû me rendre à l'évidence : jamais je ne parviendrais à pénétrer l'enceinte. Encore une fois, j'en étais réduit à imaginer. Imaginer leurs vies là-haut. Imaginer Ligonnès reclus, évitant le réfectoire ou la chapelle, caché sous un prénom d'emprunt, protégé par la confrérie et le Vatican comme le supposait un ami très friand de thèses complotistes. Mais ensuite quoi ? Toutes ces idées, ces conjectures, toute cette réalité qui se refusait obstinément à la fiction. Peut-être, au fond, que ce livre n'était pas pour moi, peut-être que Margarita s'était trompée : j'avais eu beau chercher, je ne trouvais pas.

Le soir même, je me suis rendu au réfectoire. J'avais épuisé le stock de biscuits salés et de pâtes de fruits acheté un peu plus tôt au magasin du monastère, et je crevais de faim.

Le père abbé m'a reçu dans le vestibule avant de me laver les mains dans un bénitier comme c'est la coutume pour chaque nouvel arrivant. Puis nous sommes passés dans la salle : une longue pièce voûtée avec une immense croix en fer au mur et de lourdes portes en ogive sur les côtés. Une table en bois était dressée au centre pour les retraitants. Les autres étaient disposées en U comme pour un banquet. J'ai pris place derrière la chaise qui m'était attitrée, et presque aussitôt une porte s'est ouverte face à moi, libérant une interminable procession de moines. Je n'aurais su dire combien ils étaient. Soixante? Quatre-vingts peut-être? Tous arborant la même robe noire à capuche et la tonsure romaine. Leur ressemblance était frappante, avec leur visage émacié et leur teint de cierge. Cette vie retirée semblait avoir creusé leurs traits, cendré leurs cheveux, émoussé toute émotion. Ligonnès aurait été l'un d'eux, j'aurais eu peine à le reconnaître. J'ai détourné mon regard pour qu'ils n'aient pas le sentiment d'être examinés comme des bêtes de foire. Le père abbé a joint les mains afin de réciter le bénédicité. Je n'en connaissais aucun mot et j'ai fait comme j'avais toujours fait à la messe durant mon enfance : j'ai mimé les phrases avec mes lèvres. Tout le monde s'est assis dans un grand raclement de chaises. Deux frères sont entrés avec un chariot et ont commencé à servir la soupe. Le silence étant de rigueur, mes voisins – les religieux en visite et le jeune moine de la porterie – m'ont passé le vin puis la corbeille de pain sans un mot. Être si proches et ne pouvoir se parler nous obligeait à une discrétion exagérée, et je parvenais à peine à avaler ma soupe de peur de déranger.

Cependant, l'un des bénédictins avait pris place derrière un pupitre et lisait les Écritures d'un ton monocorde. Les autres vidaient leur assiette mécaniquement, les yeux baissés ou le regard dans le vague. Je n'osais plus lever la tête, tout entier rempli de cette voix sans timbre, presque anesthésiante, qui récitait un passage de l'Évangile selon saint Jean.

Je l'ai relu depuis car je ne voudrais pas écrire de bêtises : deux jours après la mise au tombeau de Jésus, Marie Madeleine se rend au sépulcre et découvre que celui-ci est vide. Tombant à genoux, elle se met à pleurer, désespérée à l'idée qu'on ait volé le corps de son Seigneur. Un homme lui apparaît alors qu'elle prend pour un jardinier. Elle est toute prête à l'accuser. Mais il prononce son nom à elle, et elle reconnaît aussitôt Jésus. Elle court, éperdue, annoncer la nouvelle aux disciples et, le soir même, ils le voient apparaître à leur tour dans la maison où ils se trouvent. Mais l'un des leurs, Thomas, manque au rendez-vous. Lorsqu'il rejoint le petit groupe un peu plus tard, il refuse de le croire. Jésus n'a pu ressusciter et venir les visiter ici. Tout ça, ce sont des foutaises. Tant que je ne mettrai pas mon doigt à la place des clous et ma main dans son flanc transpercé, je ne vous croirai pas, leur dit-il. Une semaine plus tard, les disciples sont réunis au même endroit, et Jésus revient les voir. Il prend la main de Thomas, terrorisé, et l'enfonce dans sa plaie avant de déclarer : «Parce que tu m'as vu, tu crois. Heureux ceux qui croient sans avoir vu. »

Dans le réfectoire, je me sentais accablé par ces paroles, me reconnaissant trop bien en Thomas. J'avais écarté la question de la foi pour cette raison précisément. Si Dieu existait, pourquoi ne se manifestait-il jamais? Et mieux encore : pourquoi s'était-il manifesté par le passé et aurait-il déserté notre monde à présent? Je me faisais l'effet d'un imposteur parmi ces hommes, car j'étais justement de ceux qui ne croient qu'aux plaies, qu'à la raison, qu'aux preuves établies. Thomas avait pu toucher la marque des clous, mais cette marque ne se trouvait plus nulle part dans notre monde, aujourd'hui.

5.

J'avais pris la décision de repartir le lendemain à l'aube, dès que la porterie serait ouverte. Après tout, j'avais glané assez de matière pour essayer de traficoter un chapitre : Ligonnès s'était dissimulé ici quelques jours avant de reprendre la route. Peut-être en direction d'un autre couvent ou d'un autre monastère, comme Paul Touvier, l'ancien chef de la milice lyonnaise qu'on avait fini par coincer à la fin des années 1980 au prieuré Saint-Joseph de Nice.

Plausible. J'avais trouvé dans le salon réservé aux retraitants un livre de Jacques Lacarrière qui racontait que les premiers Pères du désert comptaient parmi eux un grand nombre de hors-la-loi repentis : voleurs, paysans endettés, esclaves fuyant leurs maîtres, venus chercher dans les grottes perdues de la Thébaïde égyptienne un moyen de changer de vie tout en épousant le dénuement du Christ. Alors pourquoi pas Dupont de Ligonnès ? Pourquoi pas le principal suspect de ce quintuple meurtre ? Car était-il même l'assassin ; l'instruction était toujours en cours ; il pouvait jouir du bénéfice du doute ; bricoler une histoire invraisemblable comme il savait si bien le faire ; en appeler à la pitié et à la charité d'autres chrétiens qui n'auraient

37

pas eu le cœur de fermer la porte à l'un des leurs. Et quand bien même serait-il coupable, quand bien même l'aurait-il confessé, il lui restait la vie entière pour faire acte de pénitence et demander miséricorde au Tout-Puissant tout en déambulant, front baissé, sous la litanie silencieuse des arcades d'un cloître ouvrant sur un carré de ciel bleu.

J'étais dans ma cellule à noircir du papier quand j'ai entendu la cloche sonner. Une seule note suspendue dans l'air glacial. Nette, insistante. C'était l'heure des complies. Le dernier office du soir. Un frisson m'a traversé : et s'il allait m'apparaître maintenant? C'était absurde, mais plus j'y pensais, plus j'avais envie de croire à ce scénario : il avait pris l'habitude de quitter la clôture monastique à la nuit tombée, une fois l'abbaye fermée aux visiteurs, pour aller prier dans la chapelle avec les autres bénédictins, silhouette obscure parmi d'autres, visage enfoui sous son large capuchon. Qui le reconnaîtrait désormais? Qui le cherchait encore? L'hypothèse faisait trembler mon corps de la tête aux pieds. Tous ces mois d'atermoiements, toutes ces semaines de recherches n'avaient pour finalité que cet instant décisif où le disparu allait reprendre vie sous mes yeux.

La nuit enveloppait la chapelle déserte. Au fond, un grand Christ drapé de pourpre était suspendu par des cordes. Seuls les vitraux du chœur laissaient filtrer une mince lumière qui tombait sur le maître-autel. Les moines encapuchonnés sont entrés par une porte latérale dans un bruissement de sandales et ont pris place dans les stalles en bois de part et d'autre de la nef. On pouvait à peine les distinguer dans l'obscurité. L'un d'eux a murmuré en latin, penché sur un livre, et tous lui ont répondu à l'unisson. Puis les premiers hymnes se sont élevés...

On aurait dit des voix libérées de toute chair, qui s'enfonçaient dans la profondeur des pierres. Mes yeux, incapables de se fermer sur le canapé de Margarita, se sont clos d'eux-mêmes, comme impuissants désormais. Mon corps perdait ses contours à mesure que les lignes mélodiques se déroulaient et refluaient le long du vaisseau de la nef. Même le sol sous mes pieds semblait s'être effacé. Alors j'ai senti en moi un point, une minuscule fleur de lumière qui commençait à grandir. Qui s'épanouissait au son des notes. Se répandait à travers ma poitrine. Irradiait ma gorge et mon crâne. Jusqu'à emplir soudain tout l'espace : les rangées de bancs déserts et les murs d'un autre âge, les moines enveloppés dans leur coule noire et ce grand Christ solennel qui descendait de la voûte.

Dieu était là, à l'intérieur de moi et derrière toute chose. Ici et nulle part à la fois, dans l'infiniment petit comme dans l'infiniment grand, immergé dans l'univers et l'univers immergé en lui... Alors, je me suis mis à pleurer comme jamais dans ma vie. Les hymnes montaient vers les cieux et je me sentais littéralement déchiré de joie.

J'ai fini par rouvrir les yeux. Les moines quittaient les stalles, ils ont disparu par la porte latérale qui les avait vus entrer. La chapelle est retombée dans le silence. Pas un souffle. Pas un bruit. J'évitais de faire le moindre geste. J'aurais voulu rester figé dans cet instant à jamais. Mais déjà l'écho s'en éloignait. Le temps avait repris son œuvre, chaque seconde abolissant la précédente. Il n'y avait plus que le présent de ce souvenir si fragile, si éblouissant. Et je me demandais s'il me serait donné de le garder en moi vivant.

6.

Quelques mois plus tard, alors que j'étais de nouveau en France pour les vacances, mon père m'a laissé un message : on venait de découvrir à Christian, son jeune frère, un cancer du poumon, et on l'avait transporté en urgence à l'hôpital.

La nouvelle avait pris tout le monde de court; un protocole de chimiothérapie était en préparation; les médecins entre-temps analysaient le nodule qu'on venait de lui retirer; on en saurait plus très bientôt. Mon père étant pratiquement aveugle et contraint dans ses déplacements, je l'ai immédiatement appelé pour lui proposer de l'accompagner; le lendemain, peu après l'heure du déjeuner, nous faisions route tous les deux vers le CHU de Corbeil.

En temps normal, une chose pareille m'aurait coûté. J'ai en horreur les hôpitaux. Un simple coup d'œil par les portes ouvertes qui rythment les couloirs blancs me remet en mémoire tous les virus et les maladies qui existent et que je n'ai pas encore. Hypocondriaque incurable, je vois un oiseau mort par terre et c'est la grippe aviaire; une piqûre de moustique dans le cou et j'ai une tumeur maligne; les dossiers contenant les résultats de mes analyses sanguines sont plus épais que la somme des livres que j'ai écrits. Je me souviens de réveils affolés au lendemain d'une fête où j'avais eu le malheur de sniffer un rail de cocaïne avec le billet d'un inconnu, de plus en plus louche avec le recul, et de moi, parcourant les commentaires médicaux sur Internet pour me persuader que je n'avais rien, avant de conclure, cinq minutes après, que ma vie était fichue.

Je n'en étais pas fier; l'hypocondrie est une névrose horriblement narcissique. Et je la combattais vainement depuis des années. Mais là, pour la première fois, rien de semblable. Je roulais aux côtés de mon père vers le CHU de Corbeil, plein d'une surprenante sérénité. Mieux encore : j'avais hâte d'y être. Hâte de voir Christian et d'essayer autant que possible de le réconforter. Ce n'était plus de ces visites de courtoisie qu'on rend à un proche en souffrance : je me sentais en mission. J'allais enfin pouvoir raconter à quelqu'un ce qui m'était arrivé au monastère Sainte-Madeleine du Barroux, et j'étais certain que ce récit réjouirait mon oncle.

Car, depuis des mois, je ne rencontrais que gêne et sourires goguenards. Toi croyant? La bonne blague. On connaît l'animal. Beaucoup de mes amis pensaient que j'en rajoutais. Que j'enjolivais. Travers d'écrivain. Je vivais les choses dans le seul but qu'elles soient dignes d'être racontées. D'autres voulaient bien admettre que j'avais ressenti quelque chose d'extraordinaire – une extase artistique, une expérience de sortie de corps, une union avec les énergies du cosmos –, mais Dieu… Le personnage était tabou. Trop vieux, trop connoté.

À peine prononçais-je son nom qu'on se braquait ou qu'on aboyait. Je savais ; j'avais été comme eux avant.

Et puis pourquoi la foi chrétienne ? m'opposait-on. La chose s'était imposée à moi sans que j'y réfléchisse. Le monastère, les paroles de saint Jean, les chants grégoriens, la certitude brutale, aveuglante, d'un amour surnaturel. Peut-être que si j'avais été élevé dans un autre pays, une autre culture, Dieu aurait pris d'autres voies. Mais quelque chose d'obscur m'avait bouleversé devant cette croix : l'horizontal qui rejoint le vertical, l'immanent qui touche au transcendant, l'éternité faite homme et l'homme éveillé dès cette terre à ce sentiment d'éternité... C'était bien le mystère de l'incarnation que j'avais éprouvé au plus profond de ma chair. La possibilité d'un point de tangence entre les créatures de ce monde et l'absolu.

Cette nuit pourtant s'était dissipée dans le tumulte des jours. J'évitais désormais d'en parler. Je n'osais franchir le seuil d'une église. Ma raison se rebiffait face à la perspective d'un au-delà. Le monde n'était-il pas qu'atomes et particules, causes et conséquences, commencement et mort ? J'essayais vaguement de prier avant d'être rattrapé par le ridicule de la posture : comment invoquer quelque chose que personne ne voit, dont on n'est même pas certain qu'il existe ?

Il m'arrivait, face à un paysage ou à l'écoute d'une musique, d'éprouver de nouveau cette intuition d'une fraternité originelle entre toutes choses, qui précéderait notre existence, mais ces moments de grâce se consumaient tout entiers dans l'instant présent, et à peine étaient-ils achevés qu'il n'en restait rien. Je n'avais aucun moyen de les retenir. Personne vers qui me tourner. Personne qui aurait pu m'apprendre à croire. Sauf une, peut-être, et c'était Christian.

Quand nous sommes entrés dans la chambre, Christian s'est exclamé de surprise joyeuse à notre vue et a fait l'effort de se hausser sur son lit pour m'embrasser. Ses lèvres se sont longuement attardées sur mes joues tandis qu'il me serrait aux épaules. Personne dans mon entourage n'embrassait de cette façon, et encore moins un homme. Aussi je me suis senti un peu embarrassé par cette familiarité. Mon père se tenait en retrait, et Christian lui a offert de s'asseoir sur une chaise. Puis il a insisté pour que nous goûtions aux sablés qu'une paroissienne venait de lui apporter, et j'ai cru l'espace d'une seconde qu'il allait lui-même se lever pour nous passer la boîte en fer-blanc. J'étais heureux de le voir en si bonne forme, et n'étaient la blouse d'hôpital et la poche de sérum physiologique qui pendait au-dessus de son bras nu, il était tel que je l'avais connu. Souriant, chaleureux, avec son allure un peu gauche et dégingandée d'enfant qui aurait trop vite grandi. Il s'est mis à m'interroger sur ma vie – et ta femme ? et tes enfants ? et tes frères ? et ta vie là-bas en Argentine ? –, et cette absence totale d'intérêt pour sa propre personne, ce refus obstiné de s'appesantir sur sa situation qu'il avait aussitôt éludée m'ont paru héroïque. À sa place, j'aurais été recroquevillé sur ma propre douleur, incapable de voir le reste du monde autrement qu'à travers le verre noircissant de ma peur et de ma détresse physique. Lui n'était qu'écoute et recueillement. Cependant mon père se tenait silencieux sur sa chaise, les mains appuyées sur sa grosse canne noueuse. J'étais étonné de le voir effacé, lui d'habitude si charmeur et si prolixe. Sans doute y avait-il trop d'incompréhensions et de non-dits entre ce pauvre religieux et son Casanova de frère. Entre cette grande tige un peu fragile et cette beauté à la Ronet ou à la Delon, portée par une allégresse que rien n'ébranlait.

À une époque, mon père en avait voulu à Christian de ne pas le soutenir alors qu'il venait d'avoir un enfant – mon frère, dont j'apprendrais l'existence deux ou trois ans après sa naissance, fruit d'une fugace relation extraconjugale avec une ancienne assistante de ma mère. Christian, de son côté, devait être fatigué des frasques de son aîné, ce flambeur qui avait saccagé tant de cœurs et qui persistait à se comporter inconsidérément, s'engueulant pour un rien avec les uns et les autres, empruntant de l'argent à droite et à gauche, honorant sa cotisation annuelle au Jockey Club alors qu'il n'avait pas les moyens de régler le loyer de sa studette, en appelant à la générosité de mon frère cadet et de moi-même pour le dépanner de cinquante ou cent euros. Mais peut-être y avait-il autre chose dans le silence de mon père et l'indifférence feinte de Christian à son égard. Une pudeur que l'approche de la mort imposait, les ramenant malgré eux à l'époque où ils n'étaient que deux enfants au seuil de leur vie, où rien n'était joué encore et où l'avenir paraissait une contrée lointaine. Que leur restait-il désormais? De grands ciels baignés de soleil, le rire de ceux qui leur survivraient, quelques étincelles de joie encore. Comme celle que j'espérais allumer dans le cœur de Christian en lui racontant ma révélation.

Je ne me trompais pas. Il a écouté mon récit sans m'interrompre, un sourire illuminant son visage. Ce transport, cette exultation, le sentiment soudain que tout était justifié, que tout était à sa place : les avait-il vécus, lui aussi ?

J'ai terminé en citant un livre de Péguy sur lequel j'étais tombé au moment de quitter l'abbaye : *Le Porche du mystère de la deuxième vertu.* Un long poème en vers libres célébrant l'espérance. Exactement ce que je souhaitais transmettre à Christian. L'espérance que tôt ou tard viendraient des jours meilleurs.

D'après Péguy, des trois vertus théologales – la foi, l'espérance et la charité –, c'était la deuxième la plus difficile à trouver, mais aussi la plus miraculeuse. La foi va de soi : il suffit de savoir regarder le monde qui nous entoure, des étoiles qui ensablent le ciel aux abîmes obscurs des océans, de la tempête qui fait bondir les vagues à la minuscule procession des fourmis rampant dans la terre. La charité va de soi : il faudrait avoir un cœur de pierre pour ne pas tendre la main à ceux qui sont dans la détresse, pour ne pas éprouver de la compassion à la vue des malheureux et ne pas tenter de leur venir en aide. Mais l'espérance… Voilà qui est étonnant, voilà qui dépasse l'entendement. Être témoin de toutes les épreuves et de toutes les catastrophes qui ébranlent le monde et croire tout de même que demain tout ira mieux. Croire, même au plus profond de l'inquiétude, que le jour qui se lève sera meilleur que le précédent. Et renoncer à la plus grande et à la plus commune des tentations qui est celle de désespérer. Mais comment la trouver, cette flamme vacillante, cette maigre lueur ? Comment ne pas sentir son cœur moisir de rancœur et de découragement au fil des deuils et des désillusions ? J'ai cru, à la première lecture, que Péguy ne donnait pas la réponse. Pourtant elle était là dans toute sa simplicité. Il n'y avait qu'à prendre exemple sur les enfants. Sur leur regard entier et presque insoutenable de franchise qui semble toujours receler une promesse. Une promesse qui n'est pas seulement de l'espoir, ni le seul désir de voir ses souhaits se réaliser, mais *aimer ce qui n'est pas encore et qui sera*.

Le miracle de l'espérance, c'est accepter ce qui va venir, l'accepter quoi qu'il arrive. Quand bien même cela nous heurte, quand bien même ce n'était pas tout à fait ce que nous avions espéré. L'accepter sans réserve en se disant qu'il y a là-dedans quelque chose pour nous, qu'on ne voit pas au premier coup d'œil mais qui est pour le mieux. Car tel est le dessein de Dieu. Et contre ce dessein, il ne sert à rien de se révolter, il ne sert à rien de tempêter, notre volonté seule ne peut gouverner le monde, il faut être aveuglé par l'orgueil pour le penser, non, tout ce que la vie réclame, c'est de la confiance – et Dieu sait que c'est héroïque parfois –, mais il faut se mettre en chemin, laisser une place pour que résonne en nous cette voix qui n'est pas la nôtre, et qui pourtant nous ressemble plus que notre propre timbre, plus que nos propres mots, cette voix qui sonne si juste et si clair au milieu de toutes les fausses notes, cette voix qui a toujours été là et qui le sera encore, et demain, et après-demain, et pour les siècles des siècles. Cette petite voix que les enfants entendent d'instinct, sans même s'en rendre compte, et qui est comme un écho d'éternité perdu parmi nous.

Christian ne connaissait pas le livre de Péguy, mais il a semblé touché par son propos avant de jouer la carte de l'humilité : «Ah, bah, tout ça, c'est bien trop intellectuel pour moi. Moi, tu sais, je suis un simple prêtre, je suis pas aussi calé que toi.» Et il a ri de bon cœur. Nous avons tous ri de bon cœur. Mais j'étais frustré de ne pas avoir su lui transmettre la beauté de ce poème. Tout ce que ces mots auraient pu ressusciter en lui, là tout de suite, alors qu'il se tenait cloué à ce lit d'hôpital, au milieu du va-et-vient des infirmières et des visiteurs compassés, accablé de douleurs mais n'en laissant rien paraître d'autre qu'une ombre de lassitude qui voilait parfois son regard et le retranchait brusquement du reste du monde. J'allais le lui acheter tout de suite, je lui enverrais par la poste, il fallait qu'il le lise! Christian m'a remercié, mais j'ai senti que c'était de pure forme. Plus tard, je devais apprendre que les Franciscains sont peu versés dans les livres ou les raffinements théologiques, préférant consacrer leur temps et leurs efforts à des tâches plus concrètes comme aider les pauvres, les malades, les sans-papiers, les gens du voyage, les prisonniers condamnés à de lourdes peines. Nul mépris de leur part dans cette préférence : c'est une question de vocation; il faut des gens pour penser et d'autres pour agir, des gens pour questionner le monde et d'autres pour tenter de soulager sa souffrance. Mais, à ce moment-là, je l'ignorais. Je souhaitais le faire entrer coûte que coûte sous *Le Porche du mystère de la deuxième vertu.*

Alors je me suis souvenu que Péguy évoquait un passage de la Bible et je me suis dit la Bible, ça, il l'aura forcément lue. Un passage de l'Évangile selon saint Luc, pour être précis, et ce passage, c'est le retour du fils prodigue.

Il y a quelques mois encore, je n'avais jamais lu la Bible. Ou plutôt j'avais lu la Genèse et je m'étais endormi avant de finir la généalogie des enfants de Noé. J'avais entendu parler de l'histoire du fils prodigue, bien sûr, sans y prêter plus d'attention. Aussi, c'est avec des yeux neufs ou quasiment que je l'ai découverte dans saint Luc, le seul des évangélistes à rapporter cette parabole. *Un homme avait deux fils...* Le premier demande à son père sa part d'héritage; il veut partir, tenter l'aventure dans un pays lointain. Là-bas, évidemment, rien ne se passe comme prévu. Il fait la bringue, il fréquente des prostituées, il dépense toute sa fortune en un rien de temps et se retrouve à la rue. Il accepte alors de garder les porcs, il a faim, mais même les caroubes que mangent les bêtes, on ne les lui donne pas. Alors il rentre à la maison avec l'espoir d'être pardonné par son père, peut-être. Et c'est ce qui arrive. Son père est ému aux larmes à son retour, il l'embrasse, lui offre ses plus beaux vêtements pour remplacer ses guenilles. Puis il demande à ses serviteurs de tuer un veau gras et de préparer une fête en son honneur. Sauf que le fils cadet, resté fidèlement aux côtés de son père, à se tuer à la tâche dans les champs plutôt que de dilapider son héritage et de se vautrer dans les plaisirs, est révolté. Son père ne lui a jamais offert la moindre fête; c'est injuste, c'est abject. Et je suis bien d'accord avec lui. À sa place, je prendrais ma part d'héritage et je m'enfuirais sur-le-champ. Mais son père le retient : il a tout ce qu'il lui faut ici, tandis que son frère, on le croyait mort et voilà qu'il vit à nouveau, *il était perdu et il est retrouvé.*

On peut penser, c'est accorder beaucoup d'intérêt à un vulgaire fils de famille qui a fait les quatre cents coups et qui s'en mord les doigts. Ou bien admettre que cette réconciliation recèle une vérité d'un autre ordre. Ce que célèbre le père, ce que célèbre Jésus, ce que célèbre Péguy, ce n'est pas la seule renaissance du fils, mais ce que cette renaissance annonce : il ne faut pas perdre patience, il ne faut pas renoncer à aimer, il ne faut pas cesser de croire. Car l'espérance existe. Et si elle existe pour une personne, alors elle existe pour tout le monde.

Il s'est passé quelque chose d'étrange tandis que j'évoquais ce passage face à Christian, quelque chose d'inattendu. Je me suis reconnu dans cette histoire. Je n'y avais jamais pensé jusqu'à présent, mais c'était clair tout à coup : si ce texte me touchait autant, c'était qu'il parlait de moi, le fils de famille, l'apôtre des drogues et de la nuit, moi dont les personnages de roman étaient tous des héroïnomanes ou des ados suicidaires, des putes de luxe ou des crevards cyniques. Moi qui avais publié deux cent cinquante pages d'éloges de la masturbation, des grottes du paléolithique à YouPorn, en passant par Diogène, Sade et Dalí, voilà que j'étais revenu à Dieu. Et voilà que Jésus me contait ma propre vie. Je pensais parler d'espérance à mon oncle et, une fois de plus, je ne parlais que de moi. De moi? Pas seulement. Car cette histoire en réalité lui était familière. Avant de devenir franciscain, Christian avait eu une autre vie. Une vie qui n'avait rien eu à voir avec la foi ni avec la religion. Je ne savais rien de son secret encore...

L'enfant prodigue, c'était lui.

7.

Fin juillet, nouveau coup de fil de mon père : Christian n'en avait plus que pour quelques heures. La dernière séance de chimiothérapie lui avait été fatale. Il avait fait une hémorragie interne durant la nuit. Sans doute le dosage n'était-il pas adapté ; le traitement avait détruit une grande quantité de ses plaquettes sanguines. « Tu comprends, c'est comme prendre un marteau-pilon pour écraser un moustique, a ajouté mon père, dépité. Ça fout tout en l'air, ces saloperies. »

Christian est décédé dans l'après-midi. La vitesse à laquelle il est parti nous a laissés anéantis. On avait imaginé qu'il livrerait bataille durant de longs mois, peut-être même qu'il s'en remettrait, mais ça... Ce fut d'une brutalité inouïe.

J'étais bien plus ébranlé par cette nouvelle que je n'aurais pu le penser. Qu'il s'en aille au moment même où je renouais avec lui me paraissait d'une rare injustice. Il avait été là, à un simple coup de fil de moi toutes ces années, et je n'avais jamais songé à l'appeler. Et maintenant que j'aurais voulu le faire, je ne le pouvais pas.

Bien plus tard, un de ses amis d'enfance me raconterait qu'il lui arrivait encore de laisser des messages sur son répondeur pour entendre le son de sa voix : «Salut, mon Christian, c'est moi encore… Il est minuit, je viens de rentrer… Je sais pas si tu peux entendre ce message là où tu es… mais j'espère que t'es heureux, que t'as enfin trouvé ce que tu cherchais… Putain, j'arrive toujours pas à croire que t'es parti… Je te vois encore là, dans le salon… tu venais d'avoir tes résultats d'analyse… J'avais dit, ah bah, on va vraiment voir à quoi tu crois maintenant, parce que si tu y crois, c'est le bonheur… Tu te souviens ?»

Et moi aussi je voudrais poursuivre avec Christian cette conversation que sa mort a interrompue. Quand je me connecte sur Skype et que je tombe sur sa photo de profil – une photo prise trop près de la caméra qui lui donne un air un peu comique –, je songe à toutes ces fois où il avait cherché à me joindre alors que je vivais là-bas, de l'autre côté de l'océan en Argentine, et où j'avais hésité à lui répondre, trouvant toujours une bonne raison de ne pas le faire : ah non, qu'est-ce qu'il me veut, j'ai trop de travail, ça va durer des plombes, je le rappellerai un autre jour… Je revois tous ces appels manqués dont la liste détaillée s'affiche encore dans mon historique – 3 juin 2014 «Appel – pas de réponse» 12 h 15 pm; 10 juin 2014 «Appel – pas de réponse» 12 h 19 pm; 3 septembre 2014 «Appel – pas de réponse» 11 h 40 am… – j'entends ces sonneries qui résonnent dans le vide tandis que sa photo de profil s'affiche soudain à l'écran avant de disparaître au bout d'une dizaine de secondes. Et je sens ma gorge se serrer.

Deux jours plus tard, j'étais à Orsay, dans la communauté franciscaine où il vivait avant que la maladie ne se déclare. Son jeune frère Bernard et Alix, l'aînée des sœurs, y préparaient la messe d'enterrement en compagnie d'un prêtre. Alix m'a serré longuement dans ses bras sans un mot. J'ai songé que personne ne m'avait serré de la sorte depuis l'enfance, avec tant de cœur et de fermeté, et soudain je me suis souvenu que, si, Christian le faisait justement pour me saluer après m'avoir embrassé longuement comme je l'ai raconté ; il me gardait enchaîné à lui une éternité, et le gamin que j'étais en éprouvait à la fois de la gêne et un étrange sentiment de soulagement, comme si j'avais pu soudain lui confier tout le poids de mon être, lui seul se chargeant désormais de le porter.

Une paroissienne avait achevé de préparer le corps, et nous sommes descendus dans la chapelle où il était exposé. L'unique fois où j'avais été en présence d'un mort, c'était ma grand-mère, et j'avais douze ou treize ans. On l'avait allongée sur son lit. Je me rappelle le violent sentiment de rejet que j'avais éprouvé en pénétrant dans la pièce. Comme si je doutais de cette réalité et souhaitais la fuir au plus vite. Pourtant la chambre où elle reposait, avec son beau tissu bleu Verrières au mur, les arbres de l'atelier Delacroix qui s'encadraient dans les fenêtres, les couvertures bleu pâle des livres qu'elle éditait, et ses meubles en bois verni étincelant d'un soleil pâle, tout était vrai. Elle était morte. Et cette sensation terrassante, voilà qu'elle me saisissait de nouveau. Christian était étendu dans un cercueil, vêtu de sa robe de bure et ceint de sa cordelette, une croix franciscaine attachée à un chapelet pendant entre ses doigts. Bernard s'est brisé en deux, pris de sanglots, et est ressorti aussitôt. Alix et moi nous sommes assis sur les bancs, mains jointes, et j'ai prié pour lui. Prié pour que Dieu l'accueille et lui offre la paix qu'il méritait. Prié pour lui dire que je l'aimais et que j'étais inconsolable d'être passé à côté de lui en cette vie. Ses traits s'étaient adoucis, sa peau semblait rajeunie, il gisait là plein d'un éclat et d'une sérénité nouvelle. J'avais lu ces histoires de saints qu'on découvrait transfigurés après leur mort et je me réconfortais à la pensée qu'il en était peut-être un.

Alix a fini par quitter la chapelle, et je suis resté encore un long moment. Veiller les morts pour accompagner leur âme au ciel, car ils sont encore un peu là parmi nous, et qu'il est si difficile de renoncer à cette terre, je le ressentais au plus profond de moi. Peu à peu s'épanouissait dans le creux de mon ventre la même lumière qu'au Barroux, la même certitude que notre âme existait et que c'était l'empreinte de Dieu lui-même. La présence éblouissante de Dieu que nous ne cessions de fuir dans les zigzags incessants de notre pensée. La présence éblouissante de Dieu dans le Christ ressuscité que Christian tenait entre ses doigts...

Le lendemain je suis retourné à Orsay, et j'y ai rencontré plus de monde : mon oncle Foulques et sa femme, Alix et Bernard toujours, ainsi que la nouvelle épouse de ce dernier. Après nous être recueillis dans la chapelle, nous sommes tous allés déjeuner dans un restaurant du centre-ville.

Cela faisait des années que je ne m'étais pas trouvé au milieu de la famille de mon père, à partager un repas en petit comité, à la bonne franquette, comme ils disaient, mais au fond c'était comme si je ne les avais jamais quittés : ça parlait fort, ça enquillait les bouteilles de rosé, ça se chambrait à tout-va... Les hommes très machos à leur habitude, les femmes qui les mouchaient du tac au tac. Chacun se faisait un devoir d'être gai, et lorsqu'on évoquait «le pauvre Cricri», c'était avec tendresse, sans s'appesantir. Bernard planchait sur le discours qu'il lirait lors de la messe d'enterrement et sollicitait notre aide. Mais à peine eut-il prononcé deux ou trois phrases qu'il fut secoué de sanglots, lui le petit frère que cette mort laissait plus seul et plus démuni que les autres. Toute la tablée s'est mise à le réconforter, et il a pris sur lui et recommencé sa lecture. «Alors, l'écrivain, me hélait-on ici et là, qu'est-ce que t'en penses? C'est bien "demi-mesure"? Ça te plaît? Non, parce que si ça te plaît pas, faut nous dire. On change. C'est pas tous les jours qu'on a la chance de déjeuner avec un futur académicien, tu comprends?» Tout le monde bavardait et riait dans un grand tumulte de plats. C'est à peine si j'ai entendu, à travers le vacarme, Bernard évoquer un épisode de la vie de Christian dont j'ignorais tout. C'étaient deux ou trois phrases à peine, prononcées à mi-voix, la gorge toujours nouée. Mais qui m'ont foudroyé.

«La première partie de sa vie fut une recherche permanente, marquée par moult expériences jusqu'au-boutistes. Sa vie professionnelle ne le passionnait pas; il n'était intéressé ni par l'argent ni par le pouvoir.

Cette première partie de sa vie fut un parcours initia-
tique qui l'a mené sur cette route d'Espagne, avec son père
et sa tante. Il s'arrête sur le bord de la route, il sort de la
voiture, et là, il est comme pétrifié : le seigneur l'a appelé.
À trente-sept ans, la vie de Christian bascule. »

«Attends, attends, qu'est-ce que c'est que cette
histoire ?»

Les mots sont sortis sans même que je m'en rende
compte. Bernard a levé la tête et m'a souri.

«Bah oui, c'est comme ça que ça s'est passé.

— Que *quoi* s'est passé, au juste ?

— Eh bien, qu'il a ressenti l'appel de Dieu. Qu'il a
compris qu'il devait tout abandonner et se consacrer
à lui.

— Et tu veux dire que c'est arrivé d'un seul coup,
comme ça, à trente-sept ans. »

Bernard a hoché la tête.

«C'est ce qu'il m'a toujours raconté. Tu sais,
Christian, c'est quelqu'un qui s'est cherché toute sa
vie, et là soudain tout a été clair pour lui. Tout a été
évident. Il était transfiguré après coup. Ce n'était plus
le même homme.

— Mais je ne comprends pas bien. Qu'est-ce qu'il
s'est passé exactement ? Il était sur cette route et il a
eu besoin de s'arrêter, c'est ça ?

— Ah bah, sans doute qu'il voulait pisser un coup»,
a lâché Foulques.

Tout le monde a explosé de rire. Et, en effet, c'était
amusant de penser que Christian avait été frappé par
Dieu alors qu'il urinait contre un fossé, le pantalon
aux chevilles et les fesses à l'air. Mais j'avais besoin de

comprendre ce qu'il avait vu à ce moment-là, ce qu'il avait ressenti avec tant de clarté. Bernard avait du mal à restituer avec précision les mots de son frère. «C'était quelque chose de physique. Il ne pouvait plus bouger. Il était transi. Comme enveloppé par quelque chose qui le soulevait. Pour lui, ça ne faisait aucun doute : il devait faire demi-tour et rentrer tout de suite à Paris. Il devait répondre à cet appel et prendre l'habit.»

Cette histoire bizarrement m'en a aussitôt rappelé une autre : celle où García Márquez, dans une sorte d'inspiration fulgurante, a su qu'il devait écrire *Cent ans de solitude*.

Il vivait alors avec sa femme et ses deux garçons à Mexico où il travaillait dans une agence de publicité, tout en écrivant des scripts pour le cinéma. Un jour, alors qu'il se rendait avec sa famille à Acapulco pour les vacances et qu'il roulait sur une petite route paumée dans les montagnes, lui est apparue, avec une clarté sidérante, la première phrase d'un livre : «*Muchos años después, frente al pelotón de fusilamiento, el coronel Aureliano Buendía había de recordar aquella tarde remota en que su padre lo llevó a conocer el hielo...*» Et à la suite de cette phrase initiale, tout son roman s'est déroulé comme dicté par une force supérieure : «*me sentí fulminado por un cataclismo del alma tan intenso y arrasador que apenas si logré eludir una vaca que se atravesó en la carretera*», expliquerait-il dans une interview. La vache en question réchapperait de justesse à la mort. Quant au chauffard, il s'arrêterait, lui aussi, sur le bas-côté avant de faire demi-tour, mais direction Mexico, où il s'enfermerait dix-huit mois durant pour écrire d'une seule traite son livre.

Bien des années plus tard, le frère de l'écrivain révélerait la version exacte de cette histoire : après s'être arrêté sur le bord de la route de campagne, García Márquez et sa famille avaient en réalité rejoint Acapulco où l'écrivain s'était empressé de coucher sur le papier les premières pages de son livre. Au bout de deux jours, ne tenant plus en place, il avait décidé d'écourter leurs vacances et de regagner Mexico. À l'identique, allais-je apprendre au cours de mes recherches, Christian, ne voulant abandonner ni son père ni sa tante, avait renoncé à faire demi-tour et poursuivi son voyage. Mais, de retour à Paris, il avait aussitôt entrepris plusieurs pèlerinages et séjours de reconnaissance dans des monastères avant d'entrer chez les Franciscains.

Il est bon que les histoires mentent parfois pour mieux révéler la vérité. Et la vérité, c'est que l'écrivain colombien comme le frère mineur se sont sentis terrassés par quelque chose qui les dépassait. D'aucuns l'appelleront l'inspiration concernant Márquez. Mais cette inspiration elle-même est un don, une faveur divine qui nous est offerte et qui, à chaque instant, peut nous être retirée. Ni la raison, ni la volonté, ni l'effort n'égaleront la puissance des mots jaillis d'ailleurs, qui nous traversent comme si, à l'instant même où ils naissaient, nous étions morts au monde. Et c'était bien ce qui était arrivé à Christian. Il s'était brusquement absenté de lui-même pour laisser Dieu parler en lui.

La seconde chose à laquelle j'ai pensé, c'est évidemment son âge au moment de cette révélation. Trente-sept ans. Le même que le mien.

Au-delà de la coïncidence, cette découverte me sonnait. Je l'avais toujours connu comme frère franciscain, et pourtant il avait vécu plus de la moitié de sa vie loin de Dieu. Il y avait eu un autre homme avant le prêtre, d'autres amours avant celui de Dieu.

Tout abandonner à près de quarante ans, quitter le monde pour vivre dans la pauvreté et l'abstinence, pour soulager les exclus et tous les damnés de la terre, jamais je n'aurais eu ce courage. Mais peut-être que moi aussi, à ma manière, je pouvais essayer de changer. Peut-être que, pour moi aussi, une autre existence commençait.

Dans les mois suivants, alors que j'interrogeais ma mère sur Christian et sur ce qu'elle m'avait tenu caché toutes ces années, elle s'est levée d'un bond, comme se rappelant soudain un oubli. Elle avait un cadeau pour moi. C'était si vieux ! À évoquer toutes ces histoires, ça lui revenait à présent. Christian, en entrant dans les ordres, s'était débarrassé de tous ses biens. Il avait légué la plupart de ses affaires à ses frères et sœurs, à ses amis, à des églises et des associations, mais il avait aussi souhaité laisser un souvenir à ses neveux, dont je faisais partie. Ma mère l'avait soigneusement conservé dans un tiroir, parmi une foule de photos et de breloques qui appartenaient à des périodes de sa vie dont je ne connaissais à peu près rien. Elle est revenue avec un bel étui en cuir, à l'intérieur duquel j'ai trouvé un stylo ciselé en argent surmonté d'une plume d'or. Un stylo de collection. J'ai été saisi de vertige. Christian, entre toutes ses affaires, avait choisi de m'offrir son plus beau stylo, et je le découvrais trente ans plus tard, au moment même où je commençais à écrire sur lui.

Le lendemain du déjeuner à Orsay, je reprenais l'avion pour Buenos Aires. J'abandonnais tout net mon projet de livre sur Ligonnès et, quelque part au-dessus de l'Atlantique, s'ouvraient les pages d'une tout autre histoire.

Deuxième partie

8.

Elle s'appelle Maria Plumferschmidt, mais les garçons la surnomment Maria Fouille Ta chemise en se bidonnant. Elle est autrichienne, très digne, éduquée, parlant un excellent français. Autant de qualités qui ont poussé les parents à l'embaucher pour s'occuper des cinq enfants – les deux derniers n'étant pas encore nés. À l'époque, on ne dit pas «nounou» mais «gouvernante», et le chic ultime veut qu'elle soit d'origine anglo-saxonne. Mais le chic s'arrête là car, dans la grande maison de La Mulatière où ils habitent, près de Lyon, règne un bordel sans nom. Ça hurle, ça court, ça tombe, ça se relève, ça hurle encore, ça n'en finit pas. Du matin au soir. Et du soir au matin. Sans compter les vacances lorsqu'il n'y a même plus la férule des maîtres ni le sifflet des pions pour juguler l'énergie de ces gosses pétant de santé, qui ont tout loisir pour tourmenter Maria. Tous ensemble, ils prennent la direction de l'Anjou dans une Peugeot 402. Une guimbarde à trois vitres de chaque côté, puant l'essence, bourrée de bagages jusqu'à faire ployer les essieux, dépassant à peine les soixante à l'heure en ligne droite. Soixante à l'heure ! Plus lent, il y a les calèches et les transatlantiques. Le paysage prend de l'épaisseur, les adultes ont la tête en chou-fleur. Surtout quand le jeu des plus grands consiste à imiter des bruits de pet et à incriminer la pauvre Maria Plumferschmidt, toujours aussi digne, toujours aussi éduquée, s'exprimant toujours dans un français aussi parfait. Soixante à l'heure de Lyon jusqu'en Anjou! Par des départementales entortillées. Les ressorts qui couinent, les valises qui brinquebalent, les enfants qui ont l'air d'avoir mille pieds et mille jambes. À ce stade-là, ce n'est plus de la patience de la part de la jeune gouvernante, c'est du sacerdoce.

Maria a survécu à ces trajets homériques, aux bagarres entre frangins, aux gamelles à vélo, aux crapauds glissés dans son lit et autres plaisanteries tordues, mais, ce jour-là, elle a bien failli mourir d'angoisse. Quand elle en parle, soixante ans plus tard, sa voix en tremble encore. La journée avait commencé sans encombre pourtant, dans la grande maison de La Mulatière. Les enfants partis à l'école, Maria est allée faire des courses au village, confiant Christian, le plus petit, à une cuisinière venue pour un extra. Les parents reçoivent des ribambelles de cousins et d'amis à dîner, et il manque toujours une chose ou une autre, c'est l'improvisation qui prévaut, alors Maria doit se débrouiller. Ce sera l'affaire de trente minutes, promet-elle à la cuisinière avant de quitter la villa, un cabas sous le bras. Le monde est alors un endroit sûr et accueillant avec ses grandes rangées de peupliers oscillant sous le vent et les moteurs têtus des voitures qui parsèment la campagne de leurs traînées sonores.

Quand elle revient, ce n'est plus le même monde. Christian a disparu. La cuisinière ne sait pas comment. Christian a à peine trois ans. Il porte encore des couches en coton. Il est incapable d'articuler trois mots. Il ne doit pas être bien loin. Hélas, plus on cherche, plus il semble loin de tout. Il n'est pas dans la maison, pas dans le jardin. Ni dans ceux des voisins. Peut-être vers l'étang. Oui, l'étang, pourquoi pas. Il y a ce môme qu'on a trouvé noyé là-bas l'année dernière, glisse quelqu'un. Le cœur soudain s'affole : on court, on trébuche sur des mottes de terre, on commence à répéter au vent son nom, et l'eau glacée enserre les chevilles peu à peu tandis qu'on retrousse ses jupes pour pénétrer dans l'étang. Jusqu'où se serait enfoncée Maria Plumferschmidt si la police n'avait pas fini par appeler ? Christian était au poste de Houdain, le village voisin, sain et sauf. Un automobiliste l'avait ramassé en train de marcher seul sur la grand-route. Entre ce moment et celui où il avait échappé à la vigilance de la cuisinière de La Mulatière : mystère. Tout ce que l'on savait, c'est qu'il avait réussi à enfiler son manteau seul, à sortir de la villa et à traverser l'immense parc sans qu'on le remarque. En plein hiver. À trois ans. Sans raison apparente. Il avait rejoint la grand-route et il s'était mis à marcher. Et lorsque Maria, éplorée, était enfin arrivée au commissariat pour le récupérer, il était là, en haut des marches, immobile, à l'attendre. Sans une larme ni un cri. Les policiers avaient refusé de confier l'enfant à Maria : elle n'avait pas ses papiers. Et même à cet instant, Christian était demeuré imperturbable. Il avait sagement attendu qu'elle aille les chercher et il s'en était retourné avec elle.

Christian n'avait gardé aucun souvenir de cet épisode, Maria oui. Qu'était-il passé par la tête du gamin? Qu'avait fait Christian durant ces quelques heures? On s'était figuré tout un tas de choses, qu'il avait suivi un animal, cherché une cachette pour enterrer un trésor. Tout de même. Ce môme parti avec ses couches et son manteau de laine. Tout seul. En hiver. Ce môme qui regardait Maria Plumferschmidt du haut des marches du commissariat avec un calme, une docilité presque effrayants. Non, vraiment, ce môme-là, il n'était pas comme les autres.

Non, il n'était pas comme les autres. Et quand Maria dit «les autres», elle ne parle pas seulement des frères, ni des cousins, ni de toute la marmaille agglomérée qui, l'été venu, s'abat comme un essaim de sauterelles ravageant allégrement sur son passage jardins et baraques de famille, mais de tous ces gamins nés dans l'immédiat après-guerre, braillards et va-t-en-guerre, habitués à faire les quatre cents coups et l'école buissonnière. Qu'on les imagine un instant, ces morveux aux culottes courtes et aux genoux écorchés, démerdards et trompe-la-mort, qui s'interpellent par leurs noms de famille d'un air bravache, et qui se foutent des raclées pour un oui ou pour un non en se traitant de peigne-cul ou de couille molle. Ils tuent le temps en balançant des pierres sur le tramway qui passe en contrebas de la maison ou en déféquant dans les bottes du jardinier, se chamaillent pour des histoires de football, de billes en agate ou de soldats de plomb, répliques exactes des GI de 45 dont certains gardent encore le souvenir ébloui. Ils roulent des

mécaniques et ne cessent de charrier
et les trouillards et les balances et
qu'ils raillent en lançant à la cantor
sortez les canots à la mer, il y a encor
chouette qui chiale!» Ce sont moins des enfants que
des petits hommes qui jouent aux durs, brisant des
vitres avec leurs lance-pierres, tuant les vipères à
coups de pelle, avant d'attacher le plus jeune au tronc
d'un arbre sous prétexte de jouer aux cow-boys et aux
Indiens, le laissant hurler tout son soûl qu'il veut sa
maman, jusqu'à ce que celle-ci apparaisse enfin, rieuse
mais rassurante, mais rieuse quand même, et qu'elle le
détache, et il pleure, et elle le réconforte encore, et
le soir tombe tandis qu'ils rentrent lentement vers la
maison où les tortionnaires se trouvent déjà à table,
en train de saucer goulûment leur assiette en se gaus-
sant encore du coup qu'ils lui ont fait. Qu'on les
imagine un peu…

Christian, lui, n'a pas besoin de les imaginer; il vit
parmi eux. Que ce soit à La Mulatière, où il est né et où
son père dirige alors une usine de balances et de pèse-
personnes; ou bien à Paris, plus tard, dans le minuscule
appartement de la rue Clapeyron, avec la chambre des
parents séparée de celle des enfants par un simple
rideau, après que les propriétaires de l'usine, du jour
au lendemain, ont mis son père à la porte pour le remplacer par un cousin; ou dans les internats où ses
parents furent contraints de l'envoyer faute de pouvoir le garder auprès d'eux – Rennes, Craon, Combrée,
et sans doute j'en oublie –, partout, il rencontre de

ɹuveaux matamores, et, partout, il lui faut subir encore les avanies et la solitude.

Son physique le condamne d'avance. Trop grand, trop frêle, trop embarrassé de lui-même. En classe, les professeurs le collent au fond à cause de sa taille, et il le vit comme une punition. Il développe des réflexes de cancre. Mais sans la légèreté goguenarde ni la glorieuse irrévérence des derniers de classe. Chez lui, les mauvaises notes ont quelque chose de tragique : elles ne sanctionnent pas son travail ni son manque d'application, mais son être tout entier. On le prend vite pour un idiot. Un gamin engourdi qui ne parle guère, qui ne se risque à rien, qui n'a ni l'aisance ni les fulgurances de ses illustres grands frères. Il s'est sans doute senti nul dans les études avant même de le devenir. Comme s'il avait fini par se conformer à la place au fond de la classe que le destin lui avait attribuée.

À cela s'ajoutent très vite des problèmes de squelette classiques dans les cas de croissance trop rapide. Douleurs aux articulations, déviation de la colonne vertébrale, faiblesse musculaire, lassitude, difficultés à se concentrer, maux de tête… On lui trouve toujours l'air un peu pâle, faiblard, et en conséquence certains en prennent avantage. On le rudoie facilement, on se paie sa tronche. Comme il manque de repartie et que son corps lui est une gêne, il se laisse faire sans broncher, il baisse la tête. Ou alors il éclate, mais d'une façon si brutale, si maladroite, si véhémente que c'est lui qui finit par être puni et le voilà seul à marcher en rond dans la cour de récréation giflée par la bise hivernale, tandis que ses bourreaux, assis à leur pupitre derrière les vitres embuées, gloussent encore dans le col de leur veston.

Leur plaisanterie favorite : lui dégonfler ses roues de bicyclette chaque soir, ça ne rate jamais. Et, chaque soir, il doit se taper les cinq kilomètres de Craon à La Motte à pied. Par des chemins boueux, au milieu de champs recouverts peu à peu par l'obscurité, encerclé par les croassements des corbeaux et les hululements des premières chouettes. Et lorsqu'il aperçoit enfin les lumières de La Motte, je ne sais si c'est avec le soulagement de se savoir arrivé ou avec l'angoisse du lendemain, quand les brimades et les humiliations reprendront de plus belle.

À La Motte, il s'est trouvé un refuge, c'est le grenier. Il s'agit d'une ancienne chapelle dont le plafond est couvert d'étoiles peintes à moitié passées. Un autel en chêne épais trône encore au fond, mais pour le reste c'est un micmac de chaises amputées, de tronçons de bicyclettes, de lourdes malles aux équerres et aux fermoirs en cuivre. Personne ne s'y aventure jamais, sauf Christian et sa cousine, Y., qui a le même âge que lui. La même fragilité et la même délicatesse aussi. C'est là, dans ces combles oubliés, tissés de toiles d'araignées, qu'ils courent se cacher pour échapper aux cris et aux vilenies des meutes d'enfants peuplant cette vaste maison en été. Leurs voix feutrées, l'odeur âcre de la poussière, le silence plein de craquements, le sentiment d'avoir enfin un monde à soi où s'éteint la crainte des autres, de leur déplaire, d'être moqués, de ne pas savoir leur ressembler. Les voilà qui chuchotent, ces deux fugueurs, qui s'installent sous un vieux baldaquin et prétendent être des romanichelles dans leur roulotte. Les voilà qui jettent des rideaux déchirés pour figurer les murs et le toit, arrangent des coussins perdant leurs plumes, enfilent des robes en taffetas élimées. Christian se fait appeler Solange et lit les lignes de la main. C'est une diseuse de bonne aventure qui peut prédire le futur, et leur futur, à tous les deux, sera glorieux. Solange en est certaine.

S'il joue aux gens du voyage dans ce grenier oublié de La Motte, ce n'est pas un hasard. Un groupe vient de s'installer dans la ville voisine de Craon, et sa grand-mère a emmené Christian les visiter, et leur apporter des vêtements et de la nourriture. Plus tard, le religieux évoquera souvent les jappements de chiens et les échos des enfants s'égaillant dans la boue des terrains vagues, ces visages sombres, qui les suivaient du regard avec méfiance, sa grand-mère et lui, tandis qu'ils arrivaient en voiture de cet autre pays, aux champs éclatants de soleil et aux demeures en pierres blondes. Ce pays où l'on traitait de voleurs les gens comme eux, s'indignant de leur présence et de leurs mœurs dissolues, sur le compte desquels on racontait les pires horreurs, ce pays dont ils se savaient exclus, eux qui vivaient avec trois fois rien, tressant des paniers, travaillant la ferraille, cuisinant sur des feux de camp, se lavant dans des bassines en étain, certains hommes se livrant parfois à des rapines quand d'autres préféraient s'abrutir d'alcool. La vieille dame et le garçon descendaient de voiture, chargés de vieux habits ou de poulets de ferme. Les distribuaient aux femmes tout en demandant comment elles s'en sortaient, si tel

72

de leurs petits était guéri et si les grands avaient enfin trouvé du travail, leur assurant qu'ils prieraient pour eux. Ce n'était pas grand-chose pour ces gens condamnés à la pauvreté et au mépris, mais, pour Christian, tout avait commencé là. Devant le spectacle de la misère...

L'histoire est belle, et le franciscain plus tard aimera la raconter. Elle n'explique pas qu'il ait attendu presque quarante ans pour entrer dans les ordres. Ni les soirées mondaines, ni sa carrière dans le commerce et la mode, ni les «expériences jusqu'au-boutistes» évoquées par son frère Bernard à l'enterrement. Non, elle n'explique pas qu'il ait cherché si longtemps à se détruire et à se perdre.

9.

Il ne danse jamais les slows. À peine le 45 tours se met-il à crépiter sous le diamant du tourne-disque qu'il disparaît de la piste. Les filles engoncées dans leurs jupes cloches attendent sur les bergères et les canapés, le rouge aux joues, que les garçons viennent les sauver de leur solitude. Mais lui jamais. Il leur préfère la compagnie de sa cigarette qu'il allume, adossé au mur, le visage bientôt masqué par les volutes de fumée. Étrange manie... C'est un merveilleux cavalier pourtant. Il n'a pas son pareil pour danser le twist ou le 3-3-2. Toutes les petites cousines se pâment quand il les fait virevolter du bout de ses longs doigts d'échalas, enchaînant navettes et lassos avant de les récupérer avec souplesse par la taille. Esseulées sur leur pouf, elles lui jettent désormais des œillades désespérées. Mais celle évidemment qu'il regarde, c'est Y.

Elle est restée au milieu de la piste, la main posée sur l'épaule d'un autre, tournant lentement au rythme de la musique. Une mélodie à l'orgue qui rappelle Bach. Une caisse claire et des cymbales qui affolent le cœur. «A Whiter Shade of Pale» de Procol Harum. Il ne sait pourquoi ce morceau lui fait toujours aussi mal. Est-ce parce qu'il l'associe à elle? À sa beauté

75

élégante et tragique, à son carré blond impeccable, à ses longs bras nus alourdis de perles. Jamais il ne l'a vue aussi belle. Et pourtant, des années déjà qu'ils se connaissent. Ils étaient à peine des enfants. Ils se déguisaient en gitans ou pariaient aux courses de Craon sur des chevaux aux noms de princes et de princesses. Et maintenant ils ont vingt ans. Ils se forcent à fumer des blondes et rient trop fort quand ils ne savent pas quoi dire, boivent des cocktails sophistiqués et se troublent en surprenant leur propre reflet, rectifiant une mèche ou un regard comme si c'était le miroir qui s'était trompé. Surtout lui, ce qui a le don de la faire rire. Il est tellement délicat et maniéré. Sa haute taille, sa fine moustache, ses costumes croisés. Rien à voir avec les mufles qui s'arsouillent au bar ou qui tentent d'entraîner les filles dans un coin de jardin pour les peloter avant d'aller s'en vanter grassement auprès des copains. Non, lui, c'est le chevalier servant par excellence. Toujours à l'heure, toujours fringant, toujours disponible. Donnant du baisemain à la maîtresse de maison et du feu aux cigarettes solitaires, remplissant les verres de whisky soda et les blancs de la conversation. Il n'y a que les slows pour assombrir sa gaieté. Alors, il s'exile dans un coin du salon et contemple les couples sur la piste comme s'il se trouvait séparé d'eux par une vitre.

Le garçon se penche et lui murmure quelque chose à l'oreille. Deux, trois mots à peine. Rien qui mériterait que Christian s'y attarde. Mais voilà qu'elle rit, ses beaux yeux noirs soudain illuminés. Elle rit, et c'est lui l'auteur de sa joie. Lui, ce petit noceur, déjà un peu gras pour son âge, qui parle toujours trop fort et sue comme une otarie. Le cœur de Christian palpite. Le sang lui monte au visage. Il a l'impression absurde que c'est lui dont ils sont en train de rire. Pourtant ils ne le regardent même pas. Ils continuent de danser comme s'il n'existait pas.

« Tu me ramènes ? »

Il l'a aidée à mettre son manteau et lui a ouvert la porte de la Simca. Elle fume, fenêtre ouverte, son profil plongé dans l'ombre. Il a les yeux rivés sur la route mais il sait par cœur ses paupières à demi closes tandis qu'elle tire sur le filtre, puis la lèvre inférieure qui s'avance, au moment de recracher la fumée. Il faudrait qu'il se lance, qu'il se déclare une bonne fois pour toutes, mais la peur le retient – c'est un bonheur si grand qu'il tremble de le briser. Un mauvais geste et tout serait fini. Tout serait ruiné à jamais. Alors il parle pour masquer son malaise ; il raconte l'histoire de son grand frère, Manolo, qui a embouti la Simca des parents. Il devait sortir une princesse Bernadotte, en vacances dans la région, mais il était tellement soûl après le bal qu'ils ont terminé dans le fossé. Ils ont dû attendre jusqu'au petit matin, en smoking et robe longue, une dépanneuse. La princesse a fini par attraper une bronchite et ne veut plus entendre parler de son cavalier. La honte pour leur mère – elle qui imaginait déjà son glorieux aîné à la cour de Suède.

Elle rit de l'anecdote, mais au fond toutes ces histoires de têtes couronnées, de noms à particule la fatiguent. Il croit l'impressionner ; c'est l'inverse. En même temps, comment pourrait-elle le lui reprocher ? Il est si sensible, si sérieux. On a l'impression qu'un rien pourrait le blesser. Et puis il n'a pas toujours été aussi pincé. C'est depuis l'Allemagne qu'il s'est pris de passion pour le grand monde. Il avait tellement de mal avec les études que ses parents l'ont envoyé passer le bac dans un lycée de Fribourg. Il a réussi à le rater, alors que tous les étudiants l'ont eu cette année-là, à cause des événements. Malgré tout, il en est revenu transfiguré. Ce n'était plus le garçon fragile et emprunté qu'elle avait connu, mais un dandy, un rien apprêté, qui dissertait sans cesse sur ses amis les Kageneck et leur château néo-Renaissance près de Fribourg ; et ses amis les Maldeghem alliés depuis des siècles aux princes de Bavière ; et ses amis les Stillfried qui descendaient en ligne directe du duc de Bohême ; et ses amis les Stotzingen qui le recevaient désormais à bras ouverts dans leur fief du Bade-Wurtemberg, autant d'illustres familles qui remontaient au Saint-Empire romain germanique et dont les généalogies n'avaient plus de secret pour lui. Depuis, ses frères et sœurs le mettent en boîte en l'appelant «Le Graaf», qui veut dire «comte» en allemand. Elle aussi pourrait se moquer mais elle ne veut pas. Toutes ces fêtes, toutes ces mondanités ne sont qu'une manière pour lui de déguiser son malheur. Celui qui semble poursuivre sa famille depuis toujours... Le grand-père qui a tout perdu dans les emprunts russes et qui est allé chercher la mort dans une charge de cavalerie aux premiers jours de 1914 ; sa femme à moitié folle qui a bradé le château de famille et dilapidé les derniers restes pour cultiver sa ressemblance avec Marie-Antoinette ; et son propre père qui s'est trouvé du jour au lendemain au chômage et a dû expédier ses enfants qui chez un oncle, qui chez une tante, en attendant des jours meilleurs... Christian a même passé tout un semestre avec une cousine dans une école de filles à Rennes, avant la succession des pensionnats gris et sévères d'où il écrivait à Y. que sa famille lui manquait. Sa mère surtout, si belle et rayonnante, et qu'une voiture avait renversée l'année précédente sur la route de La Motte. Elle était restée pendant un an immobilisée, subissant opération sur opération, avant de sombrer dans la neurasthénie. Maniaco-dépressive, avait dit le docteur. Personne ne connaissait le terme à l'époque, et Christian avait dû assister impuissant à ses crises de larmes, l'écoutant lui confier son mal-être, son visage enfoui sous une grande fourrure pour cacher ses blessures. Sept enfants, trois fausses couches, un bébé mort-né, et toujours à tirer le diable par la queue : tout ça avait fini par la bousiller. D'autant plus qu'elle avait attendu beaucoup plus de la vie. Elle avait été élevée dans le culte de la noblesse. Il y avait le nom bien sûr, Quatrebarbes, dont l'origine remontait aux croisades. Il y avait tous ces aïeux morts héroïquement à la guerre ou croqués par Saint-Simon dans ses *Mémoires* ou guillotinés à la Révolution ou entrés en Résistance contre les Allemands, et qui avaient inspiré un livre dans la collection «Signe de piste» qu'elle avait lu enfant. Il y avait cet interminable enchevêtrement de familles aristocratiques qui, telles les stations du métro parisien, finissaient toutes par se connecter les unes aux autres à la faveur de savantes correspondances généalogiques. Mais surtout il y avait les étés irréels de son enfance en Anjou, où le temps semblait s'être arrêté depuis des siècles. C'étaient des châteaux disséminés ici et là, le long de rivières à nénuphars; des terres et des champs sans fin où l'on cultivait du blé et de l'orge et du maïs et des betteraves; des fermiers que l'on connaissait de père en fils et chez qui on passait boire un coup de cidre en route pour la chasse; des repas gargantuesques à l'occasion de baptêmes ou de fêtes où l'on se remplissait la panse de canards et de cochons et de poulets et de dindes élevés sur les faire-valoir des propriétés et qu'on avait tués pour l'occasion... Un monde imperméable aux convulsions de l'histoire, où malgré l'apparente bonhomie et la rudesse des manières, on n'imaginait pas fréquenter des bourgeois, à moins de les épouser pour renflouer les caisses et payer la toiture du château qui menaçait de s'effondrer. La noblesse, on en était ou on n'en était pas. Le pire étant les faux, ceux qui avaient usurpé leur nom et qu'on se payait allégrement entre soi. Quant aux croyances et aux opinions, on avait celles de ses parents, et il ne serait venu à l'idée de personne de les contester en public. Les anciens étaient encore monarchistes pour la plupart et pouvaient tenir des propos ahurissants. Le jour où une des filles de la chorale de l'église avait été surprise en train de se faire sauter sur un torse de châtaigner par «le fils Gauthier», l'un des fermiers du coin, la grand-mère Quatrebarbes avait glapi, horrifiée : «Oh, mais c'est épouvantable, la pauvre petite! Quand on pense en plus qu'il vote contre les châteaux.»

Peut-être est-ce ce monde-là qu'il voudrait ressusciter pour elle. Il est comme prisonnier d'un passé qu'il n'a pas vécu et après lequel il court pour essayer de réenchanter la réalité. Au fond, il est toujours resté ce grand enfant qui tremble au seuil de la vie. Le même qui, dans ses lettres, évoquait ce pays de cocagne dans lequel il lui promettait de l'emmener vivre plus tard. Il faudrait qu'elle les relise. Elle ne sait plus ce qu'elle en a fait.

Il a arrêté la voiture devant l'allée de platanes. Coupé le moteur. Le silence de la nuit soudain l'intimide. Il ne sait pas ce qu'il faudrait dire à présent. Comment font les autres garçons. Il a bien embrassé une fille en Allemagne l'été dernier, mais leur baiser avait l'air tellement faux, tellement emprunté. Les corps tendus, les mains incertaines, les langues qui ne savent pas quoi faire d'elles-mêmes. Ils essayaient de jouer à l'amour tel qu'ils l'avaient lu dans les livres, tandis qu'avec elle... Il pourrait mourir dans l'instant rien qu'à l'idée de ses lèvres se pressant contre les siennes. Ses lèvres qui sont là, patientes, désœuvrées, à quelques centimètres à peine. Devrait-il tourner la tête? Allonger la main? Lui avouer tout bêtement la vérité : qu'il l'aime?

«Je vais épouser Edmond», lâche-t-elle soudain.
C'est comme un coup de fusil au cœur. Edmond! Ce petit cavaleur, ce jean-foutre! Edmond avec qui elle dansait tout à l'heure, et il ne savait rien. Impossible!
«Tu ne peux pas faire ça, fait-il, tremblant.
— Pourquoi?
— C'est un imbécile.
— On s'aime.
— Je ne te crois pas.
— On se marie en septembre.
— Tu as perdu la tête.

81

— Les parents sont déjà au courant.

— Et qu'est-ce qu'ils disent?

— Qu'est-ce que tu veux qu'ils disent?

— Mais c'est arrivé quand? Quand ça? enrage-t-il soudain.

— Quand tu étais en Allemagne. Ça fait plusieurs mois déjà. Tu sais, il n'est pas comme tu crois.

— Je sais exactement comment il est là, détrompe-toi.

— Tu pourrais essayer de le connaître un peu mieux. Je suis sûre que vous finiriez par vous entendre.

— Sors de cette voiture, sors tout de suite!

— Mais qu'est-ce qui te prend?

— Fous le camp, je te dis.»

Il tend le bras devant elle pour ouvrir la portière, puis la pousse brutalement.

«Allez, dehors. Je ne veux plus jamais te revoir, tu m'entends?»

Elle manque de tomber, se rattrape à la porte. Il la claque aussitôt, et elle doit ôter ses doigts à la hâte pour ne pas qu'il les écrase. Puis il fait une marche arrière et part en trombe, la laissant rapetisser dans le rétroviseur jusqu'à ce qu'elle disparaisse tout à fait.

10.

C'est ce jour-là qu'il a cessé de croire, m'a-t-on dit.
Croire en Dieu, en l'amour, en quelque chose qui
puisse l'élever au-dessus de lui-même et lui permette
de sublimer l'existence. C'est ce jour-là qu'il a su, avec
une douloureuse certitude, qu'il serait toujours seul
au monde.

Longtemps, il y avait eu la religion. Celle de ses
parents. Celle de son milieu. Celle des années 1950.
Il récite le bénédicité à table et fait sa prière au pied de
son lit chaque soir comme on se brosse les dents. Il
prend des cours de catéchisme et de latin avec le curé
du coin, qui leur serine les plaies du Christ et le sang
des martyrs et les gémissements des damnés, avant de
s'en retourner à vélo, lesté d'une truite ou d'une bouteille de saumur-champigny offertes par la grand-mère.
À l'école, il participe aux offices liturgiques et aux
retraites de silence, regardant d'un œil offusqué les
idiots qui s'en vont pisser en douce dans le bénitier où
les ouailles quelques minutes plus tard iront tremper
les doigts. Il collectionne les cartes de baptême et les
images saintes, et griffonne un jour quelques mots sur
une languette de papier, que j'ai retrouvée glissée dans

un vieux missel : «Faire des effore en classe faire la cha-riter eder les autres préparé à paques et au carême...»

Pâques et carême. Noël et l'avent. Les communions, les mariages, les enterrements. Le culte rythme encore les jours et les saisons, le commencement de la vie et son terme. Il donne l'impression que le temps ne cesse de s'enrouler sur lui-même, qu'il n'est qu'un éternel recommencement, et j'imagine le confort et la quiétude que cette certitude peut procurer. Pas besoin de se demander si l'on croit ou pas; cette question elle-même n'existe pas. Ou alors si elle commence à exister déjà, on préfère n'en rien savoir. Son père passe des heures, au coin du feu, à lire les auteurs chrétiens de son temps, Daniel-Rops ou Jacques Maritain, y puisant un peu de cette sagesse stoïcienne qui le rend hermétique aux drames et aux aléas de l'existence. Sa mère verse dans un catholicisme à la Chateaubriand : les saints sur les vitraux, les cathédrales vertigineuses, le ravisse-ment des psaumes et des chants grégoriens. Et les processions aussi. Celle du 15 août, si belle, si joyeuse, avec ses colonnes d'enfants vêtus de leur aube rouge et de leur surplis en dentelle qui répandent des pétales de fleurs sur leur passage, une minuscule corbeille pendue au cou. Celle de la Fête-Dieu où, à tous les car-refours, le prêtre trouve un reposoir pour asperger d'eau bénite les femmes agenouillées sur leur fichu et les hommes, tête basse, tenant leur casquette à la main. Celle des Rogations encore où l'on chante la litanie des saints, et où l'on bénit les blés et les troupeaux.

Et puis, en l'espace d'une décennie à peine, ce monde-là s'effondre. Les églises se vident, les monastères sont désertés. Julien Green assiste à cette grande débandade. À chaque page de son journal, on croise des prêtres renégats, des séminaristes tourmentés, des croyants dont la foi vacille, attirés par les séductions toujours plus grandes de leur époque. L'Église, elle, n'est plus capable de leur parler. Le jeune clergé ne sait plus son bréviaire et chante un latin dont il ne comprend pas un mot; les curés sont devenus des notaires de la foi que l'on aperçoit seulement aux mariages ou aux décès. «Les vrais croyants ont l'air de fous», note-t-il. Entendre : tous les autres font semblant ou pratiquent mollement, par mimétisme culturel. Il fustige ce «christianisme décoratif avec des croix aux murs, et sur les rayons des bibliothèques, tous les *Combats spirituels*, tous les *Guides de pêcheurs* superbement reliés, et ces reliures bien frottées, qui cela peut-il tromper? Pas Dieu, certainement». Ce que Green vise ici, ce sont les livres de piété illisibles qui ont peu à peu remplacé les Évangiles. Des manuels de théologie morale vétilleux, ergotant sur les parties du corps qu'il est convenable de regarder ou non. Le haut ou le bas? On se pince.

En ces années d'euphorie économique, le catholicisme n'est déjà plus pour beaucoup qu'un vernis social, un gage de respectabilité. Rendre hommage à Dieu, c'est souvent se dispenser d'être vertueux. Au pire, se dit-on, le Seigneur finira par nous pardonner. D'où les curés appelés en catastrophe sur les lits de mort pour administrer l'extrême-onction.

Mon père se marre quand il se rappelle les offices de son enfance dans le village de Niafles : la coutume voulait qu'*on ait fait sa messe* si on mettait les pieds dans l'église juste avant l'homélie du prêtre. À onze heures moins cinq, tous les types qui étaient jusque-là à siffler du petit blanc débarquaient chancelants du bistrot voisin. Malgré leurs efforts de discrétion, la porte couinait sur ses gonds à leur passage. Le prêtre s'interrompait. Il attendait, excédé, que ces messieurs veuillent bien prendre place au fond. Les femmes, assises pieusement aux premiers rangs, un foulard noué sous le menton, ne leur adressaient pas un regard. Les retardataires se glissaient entre les rangées en se bourrant les côtes et en étouffant des rires tandis que le petit enfant de chœur debout près de l'autel les observait, fasciné par ce manège. Un jour, songeait-il, il serait des leurs. Un jour, il serait de ce monde plein de bruit et de soleil qui venait de faire effraction dans la nef avant qu'elle ne retombe dans l'obscurité. Et ce petit enfant de chœur, c'était mon père.

Dix ans plus tard, il quitte l'église pour ne plus y foutre les pieds. Toute une génération lui emboîtera le pas. Celle qui n'aura jamais connu la guerre. En une décennie, les offices se vident de moitié. Les prêtres ouvriers, la Jeunesse étudiante chrétienne : rien n'y fait… Tout ce qui ressemble à une forme d'autorité les rebute. Aux contraintes de la religion, ils préfèrent les plaisirs faciles. Et ceux-ci n'ont jamais été aussi nombreux. Le progrès technique soigne l'ennui. Les disques en vinyle font tourner les têtes, l'automobile donne la bougeotte, le cinéma met du Technicolor dans la vie. Brigitte Bardot se prélasse nue au soleil; James Dean roule à tombeau ouvert vers la mort. Autres temps, autres idoles. Désormais, tout est séduction, immédiateté, désir éperdu de liberté. Le vieux schnock cloué sur sa croix, avec sa gueule moribonde, ne fait plus rêver. Au rebut, toute cette bimbeloterie. Tous ces cierges et ces bondieuseries. Le paradis, pas besoin d'aller le chercher dans l'au-delà. Le paradis, il est sur terre à présent. Chacun veut être l'unique artisan de son bonheur ici-bas. Lourde tâche. À partir de 68, la courbe des dépressions explose. Les cachets remplacent les hosties. On ne veut plus d'espérance, mais des résultats. Non que les jeunes soient plus malheureux qu'avant, mais ils trouvent toujours plus heureux qu'eux-mêmes, et ça les ronge. Au moins la liberté donne-t-elle du plaisir. Elle nous fait sentir unique au monde. Que la vie semblait ennuyeuse lorsqu'on la devait à d'autres qu'à soi-même. Lorsqu'il fallait admettre une autre loi que la sienne. Dix ans auparavant, Green notait dans son *Journal* : «Le monde de 1959 n'en veut plus. La foi oblige.» Tout est là…

Vatican II n'y pourra rien. L'abandon du latin, l'assouplissement des dogmes, l'apostolat des laïcs, le rapprochement avec les autres religions : vaine tentative de sauver les meubles d'un palais en train de brûler. Ces mesures ne feront que minorer le vaste mouvement de désaffection dont était déjà victime l'Église. Bien sûr, pour les intégristes, le concile convoqué par Jean XXIII aura marqué le début de la fin. Relativiser les anciennes obligations, c'était donner l'impression que l'Église s'était trompée et qu'elle pourrait encore se tromper à l'avenir : comment lui faire confiance dès lors ?

La réalité, c'est que l'histoire était jouée d'avance. Et cette crise de transmission inévitable. Christian était voué à s'éloigner de l'autel une fois sorti de l'enfance.

Les rituels, les prières d'indulgence, les scapulaires bourrés d'images saintes, les cartes de baptême ou de communion, les médailles consacrées par les prêtres, toutes ces «pieusailles» de sa jeunesse ne suffisaient plus à étancher sa soif d'ailleurs. Les églises étaient noires, et il voulait la lumière.

Petit enfant, Christian entraîne au fond du jardin de La Motte une jeune cousine et la convainc de s'agenouiller au milieu des orties afin de racheter les péchés du monde. Ils prient, les yeux fermés, tandis qu'au loin résonnent les rires et les cavalcades des autres gamins. Leur peau est traversée par des aiguilles de douleur qui leur rappellent confusément la faiblesse de leurs petits corps, mais ils tiennent bon en songeant à la Passion du Christ.

Christian devenu franciscain, sa cousine lui rappellerait souvent cette histoire en riant. Étrangement, le sujet l'irritait; il faisait mine de ne pas écouter. Lui d'habitude si ouvert, si souriant, si prompt à confesser ses faiblesses et ses travers, se braquer pour ces mômeries, elle ne comprenait pas!

La vérité, c'est qu'il avait honte. Honte de tout ce tragique, de ces poses éplorées, de ce cérémonial macabre. Honte de cette religion de façade si étrangère aux messages d'amour et de miséricorde qui l'habitaient depuis sa conversion. Il ne pouvait pas revoir cet enfant à genoux parmi ces feuilles velues, d'un vert acide, qui lui brûlaient la chair, parce que cet enfant ne croyait déjà plus.

11.

Il aurait tellement besoin de Dieu ce soir-là. Mais les mots qu'il murmure dans le creux de l'oreiller, les yeux mouillés par les larmes, lui semblent vains. «Seigneur, faites qu'elle change d'avis. Faites qu'elle ne se marie pas. Seigneur, aidez-moi.»

Mais qui supplie-t-il sinon le silence? Il se rend compte avec terreur qu'il ne sait plus prier. Qu'il n'a peut-être jamais su. Ses phrases retombent mortes. Sa conscience demeure empêtrée dans son corps, écrasé de douleur. Elle est comme un trou noir dont la lumière ne peut s'échapper. Un de ces trous noirs à la masse si puissante qu'on braquerait une lampe torche en direction de l'univers, son rayon retomberait aussitôt telle une balle de tennis. Voilà à quoi ressemblent les mots de désespoir qu'il lance vers le ciel muet. Alors il finit par se relever et descendre à la bibliothèque. Il attrape une bouteille de whisky sur le buffet et prend au hasard un fusil de chasse dans le râtelier. Puis il sort dans le jardin, derrière la maison, et disparaît en direction de l'étang bordé de grands hêtres.

Le fusil est couché dans l'herbe que la rosée a déjà moirée de reflets argentés. Il boit au goulot. Il n'a jamais supporté les alcools forts. Chaque gorgée lui arrache une grimace de dégoût. Pourtant il se force. Il veut se soûler jusqu'à l'oubli. Jusqu'à ne plus sentir la liqueur lui brûler la gorge et le cerveau.

Il palpe la terre rêche sous ses doigts, il écoute les hululements dans les arbres, il contemple le clignotement des étoiles, mais la souffrance reste là. La souffrance a son visage. Il ne peut supporter l'idée qu'elle respire ailleurs en ce moment, qu'elle écoute d'autres voix que la sienne, qu'elle se couche dans des draps dont il ne connaîtra jamais ni l'odeur ni la caresse. Pendant toutes ces années, elle ne s'est doutée de rien. Elle l'a considéré comme un frère, un confident. Et maintenant elle voudrait qu'il devienne ami avec ce fin de race qui passe sa vie à boire du gin et traite les filles en marie-couche-toi-là. Comme il se méprise. Comme il se hait.

Il n'accompagne jamais ses frères chasser le perdreau et le faisan dans les champs. Il ne s'est jamais servi d'un fusil. Alors il improvise. Il pose la crosse dans le sol, la gâchette à l'opposé, et ramène les deux canons dans sa bouche. Un goût de métal glacé et de brûlé mêlés : c'est donc ça, la mort. Il tremble. Une simple pression du pouce sur la détente et il retournera au néant. Ce grand néant d'avant le ventre de sa mère. Comme il en a la nostalgie, dans cette nuit noire et déserte.

Il essaie de caler la crosse dans la terre, ajuste au mieux la mire contre son palais. Son cœur bondit dans sa gorge. Tout son corps est secoué de spasmes. Il maîtrise à peine ses doigts sur la poignée. Et dans cet affolement de toute sa chair, il reconnaît le petit garçon craintif et effacé qui a toujours eu en terreur la violence.

Quand il était enfant, le vieux braque qu'il adorait a été écrasé sur la route de La Mulatière. Il l'a l'enterré lui-même au fond du jardin, improvisant une petite cérémonie avec prières et cierges. Mais, une semaine plus tard, les aînés exhument le cadavre de la bête pour voir son état de décomposition. Ils rient tout en poussant de grands cris dégoûtés, tournant et retournant le chien à l'aide d'une longue branche. Découvrant la scène, Christian devient fou. Il hurle, pleure, agonit ses frères d'insultes. Et puis soudain, il aperçoit la carcasse, grise de terre, à moitié dévorée par les asticots. Les crocs sont encore blancs et les yeux noirs, insondables... Les yeux qui ont disparu !

Ce sont ces orbites vides qu'il voit maintenant, le guidon du fusil dans la bouche. Ces orbites vides qui seront aussi les siennes un jour. À la fin des fins, il n'y aura rien d'autre, et il ne peut s'y résoudre. Même aujourd'hui, l'acier du canon contre sa langue... Quelque chose en lui refuse l'évidence. Quelque chose en lui implore de vivre.

Un bruit dans les fourrés soudain. Un sanglier en sort et s'immobilise à quelques mètres. Son pelage noir, son boutoir frémissant. La bête le fixe, indécise. Lentement Christian retire le canon de sa bouche et le braque vers elle. Tout son corps est crispé par la peur. Dans la nuit, la gueule hirsute de l'animal est d'une laideur démoniaque. Elle baisse son museau et commence à renifler la terre. Il a l'impression absurde qu'une personne se trouve là, à l'intérieur de cette bête. Un être immonde venu exprès pour lui. Le sanglier lève la tête de nouveau dans sa direction. Ses défenses luisent sous la lune. Alors soudain le coup part. L'animal déguerpit.

Christian laisse retomber le fusil et s'affale dans l'herbe, secoué d'un rire affreux.

12.

Les fêtards sont comme les enfants qui mettent les mains sur leurs yeux en croyant que les adultes ne les voient plus : ils s'imaginent que la nuit et l'alcool les dérobent au regard du monde. Que l'obscurité estompe leur fragilité et leur terreur face à l'existence. Ils craignent l'aube qui les assassinera de reproches. Les réveils moribonds dans des chambres saccagées. Autour d'eux, tout le monde les voit gais, les croit futiles, alors qu'ils ne cherchent qu'à fuir leur propre tragédie. À épuiser leur vie en une seule nuit, et chaque jour recommencer, puisque la tâche est impossible…

Telle est l'existence dans laquelle Christian va se jeter pour dissiper son chagrin. La cohue des night-clubs et l'euphorie de la poudre, les amitiés éphémères et l'amnésie des lendemains de débauche. Il cherche toujours de nouveaux visages devant lesquels son numéro d'illusionniste ne serait pas encore éventé. De nouveaux lieux où les miroirs n'auraient pas encore croisé son regard las. Et je connais bien ce sentiment. J'ai vécu moi aussi, à une époque de ma vie, dans cette spirale d'oubli.

Tout avait commencé juste après cette rupture amoureuse qui m'avait foutu en l'air. J'avais vingt ans, comme Christian, et le monde d'un seul coup m'était apparu dévasté. Impossible de rester seul chez moi, dans l'appartement où elle avait vécu, à contempler sur les murs les photos qu'elle avait prises lors d'un voyage en Asie, à ouvrir des placards où dormaient des pulls oubliés, à trouver un ticket de cinéma, une liste de courses griffonnée à la hâte, un élastique où l'un de ses cheveux était encore prisonnier, autant de détails qui évoquaient les scènes d'une autre vie dont j'étais exilé désormais.

À peine rentré du bureau, je passais les premiers coups de fil d'une longue série. Ou j'allais seul dans les cafés alentour avec l'espoir d'y croiser un ami. Une tête familière. N'importe qui. Tout plutôt que cet appartement où je n'avais même plus le courage de changer les ampoules mortes ou les rouleaux évidés de papier toilette.

Immanquablement, mes rondes de nuit me mènent à la boîte qui vient d'ouvrir au bas de l'avenue Marceau. Un ancien bar à hôtesses avec ses murs de velours, ses lumières tamisées et ses gravures d'hétaïres. Les noctambules encombrent le long couloir d'entrée, le bar et la piste de danse tout au fond, devant la cabine du DJ. Mais le lieu le plus prisé, ce sont les toilettes. Deux cabinets minuscules où l'on s'entasse parfois à deux ou trois ou quatre pour taper de la coke sur le réservoir en émail maculé de traces blanches et de petits cailloux humides abandonnés par les précédents occupants. Parfois des garçons en profitent pour se faire sucer par des filles qu'ils ne connaissaient pas une heure auparavant et qui courent se rincer la bouche aux lavabos juste après. Les videurs font la police mais tout le monde se fout d'eux. Impossible de se frayer un chemin tant la foule est épaisse. La brume des cigarettes estompe les visages. Des verres de vodka, transformés en cendriers, ont été oubliés par terre. Sur la piste, on ne repère plus personne. Des corps se frôlent, se faufilent. Parfois on aperçoit un visage, un regard lourd de désir. Puis il disparaît dans le noir.

Je branche toutes les filles que je croise. Chacune a la beauté sidérante de l'inconnu. Du risque. De tous les possibles auxquels la nuit appelle. Les mots me viennent sans effort. Je ne sais même pas si elles me comprennent. J'oublie aussi vite les échecs que les visages. Je renais à chaque instant, devant chaque femme, mû par l'audace surhumaine que donne la cocaïne. Tout mon esprit est tendu vers le moment où nos bouches se jetteront l'une sur l'autre, renversant les pudeurs, les discours, les artifices. Cet instant vertigineux où je déborde de moi-même pour m'anéantir tout entier dans une autre chair.

Parfois je reste là-bas jusqu'au point du jour, débarquant au bureau dans un état second, avant de recommencer le soir même. Parfois je me réveille le matin sans plus aucun souvenir de la veille ni de comment je suis rentré chez moi. Parfois je termine dans des endroits plus noirs, des afters sordides, des strip-clubs clandestins, des studios où je baise des étrangères avec une rage désespérée, finissant par arracher la capote pour sentir mon sexe tout entier englouti, cognant toujours plus loin, plus fort, dans un chaos de liquides et de nerfs, comme pour me *désenfanter*, me dissoudre, remonter vers cette origine obscure où toute conscience n'est plus ou n'est pas encore.

C'est au lendemain d'une de ces nuits que je prends le seul et unique café de ma vie avec Christian. Pourquoi m'a-t-il appelé alors qu'on ne se voit jamais ? Je ne sais toujours pas. Je lui raconte ma rupture, et il m'écoute sans rien dire.

Puis, au moment de nous quitter, alors que nous sommes sur le trottoir, il m'avoue qu'il a lu mon premier roman qui vient tout juste de sortir, causant quelques remous dans la famille. De vieilles tantes, dont j'ignorais l'existence jusqu'alors, appellent mon père pour le sermonner : «Tu diras à ton fils que je ne le félicite pas. Quand on s'appelle Montaigu, on n'écrit pas ces choses-là !» Mon père éclate de rire en me rapportant leurs propos avec la même voix pincée. Hélas, j'ai peur que Christian ne se range à l'opinion de ces lointaines parentes. Car s'il y a un livre qui n'est pas destiné à un prêtre franciscain, c'est bien celui-ci.

Sur près de trois cents pages, je dresse le catalogue de toutes les drogues et déviances sexuelles auxquelles s'adonnent les enfants tristes de ma génération. Je crains de l'avoir peiné et plus encore qu'il me fasse la morale. Rien de tout cela. Christian se contente de me dire qu'il a trouvé ça intéressant, cette jeunesse désenchantée. Et de conclure : «C'est un livre très spirituel, au fond.»

Très spirituel : je vois mal où il est allé chercher une telle idée. Dans le titre peut-être, *Les anges brûlent*, et encore... C'était pour faire écho à l'innocence perdue des héros. Rien à voir avec de quelconques créatures célestes. Ce roman est même tout le contraire d'une quête mystique. Le vide et le cynisme contemporains, la défaite du romantisme et le spleen de la jeunesse dorée parisienne, voilà la vérité. Rien de plus.

Des années plus tard, au mariage de mon frère, au cours duquel Christian préside une cérémonie œcuménique, vêtu de sa chasuble et de son étole, dans une pinède face à la mer, je lui rappelle cette conversation lors du cocktail qui s'ensuit.

«Je n'ai jamais compris ce que tu as voulu dire par là.»

Christian sourit et boit une gorgée de bellini en regardant au loin la mer.

«Tu connais la sainte Thérèse du Bernin? me demande-t-il.

— Vaguement.

— Il faudra que tu ailles la voir à Rome. Elle est dans l'église Sainte-Marie-de-la-Victoire. On voit Thérèse sous une pluie de rayons d'or, la tête renversée, les lèvres entrouvertes, les yeux mi-clos, comme si Dieu lui-même était en train de la soulever de terre. Mais si tu regardes bien son visage, ses yeux révulsés, cette bouche qui happe l'air, cette expression d'abandon de tout son être, tu la verras en plein orgasme.»

Je ris de bon cœur.

«Un orgasme? Tu veux dire que Dieu est en train de faire jouir Thérèse?

— Pas jouir comme tu penses, bien sûr. Mais c'est le même vertige, le même ravissement, la même impression que le corps ne pèse plus rien et qu'on est tout entier à l'autre.

— D'accord. Mais qu'est-ce que Thérèse a à voir avec mon livre ?

— Eh bien, ton héros, j'ai eu l'impression qu'il était à la recherche de la même chose

— Et cette chose, c'est quoi pour toi exactement ?

— L'extase. »

Il a précisé sa pensée :

« Qu'est-ce qui les rend tous si désespérés, au fond, tes personnages ? C'est qu'ils sont seuls au monde. C'est qu'ils vont mourir. C'est qu'il n'y a plus de Dieu possible. Alors ils le cherchent ailleurs.

— Dans le sexe et les drogues ?

— Et pourquoi pas ? Dans l'extase divine comme sexuelle, il y a à l'œuvre la même force. Le même mystère dans lequel je me libère de ma propre finitude pour toucher à une forme d'absolu. Je me transporte en dehors de moi-même pour m'unir à quelque chose qui me dépasse. Dans le sexe, cette extase s'évanouit aussitôt. C'est la petite mort. Elle s'évanouit dans les drogues. C'est la descente. Elle s'évanouit chaque fois que je retombe en moi-même, dans toute la pesanteur de la chair. De même pour la violence, le jeu, les sports extrêmes. Je cherche à m'arracher à mon propre corps pour faire du simple présent un fragment d'éternité. À repousser mes pauvres limites humaines pour ressentir l'espace d'un instant le vertige de l'infini. Le vertige de Thérèse. »

13.

Il y a toujours foule devant l'entrée. Une ancienne salle de cinéma Art déco reconvertie en gigantesque boîte de nuit. Heureusement la videuse les connaît. Enfin, surtout elle. Une jeune princesse belge qui possède le prédicat d'altesse sérénissime et passe pour lesbienne. On la voit aussi dans les pages de *Vogue*, photographiée par Guy Bourdin ou Henry Clarke, coiffée d'une capeline ou d'un nuage de tulle rose. Mondaine, brillante, délaissée par son coureur de mari. Il l'a rencontrée à Bruxelles, où il a travaillé brièvement pour une boîte de pétrochimie. Elle est sa duchesse de Guermantes, et lui son Swann. Il l'accompagne dans les dîners en ville et les grands bals avant qu'ils filent tous deux s'encanailler dans les clubs interlopes de la capitale.

La videuse avec sa coupe à la garçonne lui fait la bise. Étrange mélange de styles ici. On y croise des crevards comme des célébrités, des héroïnomanes et des politiciens en goguette, des travestis et des dandys à smoking. Elle porte une robe noire Givenchy à l'extravagant décolleté dans le dos. Lui une moustache à l'anglaise et un foulard en soie autour du cou. C'est elle qui paie tout. Les cigarettes comme la table avec la bouteille de champagne dans son seau à glace. Partout autour, sur la piste, aux balcons, le long du monumental escalier, c'est une bousculade de corps ensorcelés par la musique, un mikado de lasers qui transpercent l'obscurité, la ronde incessante des serveurs en combinaison orange et épaulettes dorées, tous plus sublimes les uns que les autres. Tout au fond sur la scène, une chanteuse en robe à paillettes argentées chante un tube disco en prenant des poses de vamp. Sa silhouette se démultiplie comme dans un miroir. Une mannequin scandinave s'approche de leur table.

«Christian!

— Oh, Erika!»

Sourires. Longues embrassades. Christian explique à la princesse qu'Erika et lui se sont rencontrés chez Mic Mac, la boîte de prêt-à-porter fondée par Gunter Sachs, l'ex-mari de Bardot, pour laquelle il travaille depuis peu. Attaché commercial: un job plus alimentaire qu'autre chose, encore une fois. Mais au moins il voyage, il s'amuse, il y a les filles. La semaine dernière, ils étaient à Munich ensemble pour les défilés.

«Christian nous servait de chaperon, le taquine Erika.

— Quel veinard! s'exclame la princesse en déshabillant la jeune mannequin du regard.

— Tu parles, fait mine de se plaindre Christian, elles n'écoutaient rien. Toutes les nuits à faire la fête, alors que j'avais pour mission de les présenter fin prêtes au matin. Un enfer!

— Et tu n'en as pas profité?

— Même pas. Je suis complètement transparent à leurs yeux.

— C'est faux! proteste Erika. Toutes les filles t'adorent!

— Elles m'adorent, mais elles me voient comme une vieille dame chargée de veiller sur elles. Je suis assis toute la journée dans la cabine d'essayage sans que ça les gêne le moins du monde. Mais dès qu'un homme passe la tête par la porte, elles hurlent en se cachant les seins. Et moi? Je n'existe pas? Non, c'est terrible. Pour elles, je fais partie des meubles.»

Les trois rient en trinquant. Christian a toujours toutes sortes d'histoires amusantes. Des ragots sur Untel qui a épousé une prostituée de Madame Claude, ou tel autre qui n'a plus un rond et se loue comme duc pour aller dîner chez les gens. La princesse sort de son sac une ancienne boîte à camée.

«Vous en voulez?

— Qu'est-ce que c'est? demande Erika.

— Un secret.»

À l'intérieur, une poudre blanche et floconneuse. La princesse y plonge une épingle à cravate en or et en extrait une minuscule pincée qu'elle ramène sous sa narine.

«Fais attention, lance Christian à l'intention de la jeune Scandinave, certains racontent qu'elle broie de vieux cachets de Pervitin.

— De quoi?

— Des méthamphétamines que les nazis utilisaient durant le Blitzkrieg. Le médicament de l'éveil, disaient les tablettes. Je ne te décris pas l'état dans lequel ils ont terminé.

— Ils ont gagné la guerre en deux mois, je te rappelle.

— Et après ils ont tous pété les plombs.

— Ne l'écoutez pas. De toute façon, il raconte des bêtises. Tenez ! Faites-moi confiance. Vous ne serez pas déçue », fait la princesse en tendant la boîte à Erika.

Chacun prend sa dose. Sensation amère dans la narine puis montée d'euphorie qui gagne tout le corps. Les lumières, les danseurs leur apparaissent soudain avec une acuité sidérante. Christian ne tient plus en place.

« Je vais faire un tour.

— Tu nous abandonnes déjà ? s'étonne Erika.

— Laissez-le. Il y a toujours un moment de la soirée où il disparaît.

— Mais où va-t-il ?

— Ah ça, ma chère, c'est un mystère. »

14.

La scène se passe sur une petite départementale de Mayenne. Une de ces longues lignes droites bordées de champs de tournesols qui montent et dégringolent au fil de côtes paresseuses. Au volant de la 504 noire, mon père, polo au col relevé et lunettes à la Steve McQueen, fait mugir le moteur à chaque changement de vitesse. À son côté, ma mère, jeune mariée en col roulé et pantalon de velours côtelé, chevelure en cascade, proteste d'une voix molle tout en s'agrippant craintivement à la poignée intérieure. Et assis en biais sur la banquette arrière, avec sa fine moustache et ses jambes interminables qu'il ne sait jamais où mettre, Christian.

Je ne suis pas encore né mais je peux le voir comme si j'y étais : ses genoux aigus qui s'enfoncent dans le cuir des fauteuils, sa tête qui cogne contre le ciel de toit à chaque nid-de-poule, ses bras gigantesques pareils à des ailes d'albatros. Il est si grand que son visage découpe le rétroviseur en deux, et c'est en contemplant son reflet en lame de couteau que ma mère s'adresse à lui : «Et toi, Christian, ça va? Raconte-moi un peu ton boulot, tu es content? Sur quoi tu travailles en ce moment?» Questions posées d'un ton machinal pour se distraire d'un trajet qui s'étire. Trois heures au bas mot entre Paris et Saint-Denis-d'Anjou. Pas d'autoroute; des tacots crachotants leur gaz qu'il faut doubler tous les cent mètres. Sans compter les camions et les tracteurs. Et mon père qui déboîte à tout-va comme s'il courait les 24 heures du Mans.

Ma mère a toujours adoré Christian : c'est l'un de ceux qui l'ont bien accueillie dans la famille lorsqu'elle a décidé de se marier avec mon père. C'était une femme divorcée à l'époque, mère de deux enfants. Une situation impensable dans ces milieux. Christian, lui, s'en fiche complètement. Au contraire. Il s'est toujours montré chaleureux avec elle. Il a déjà cette onctuosité dans les gestes et la voix qui met d'emblée à l'aise. Et puis ce souci constant de l'autre. Ma mère se sent flattée par tant d'attention, elle qui mendie sans cesse l'affection dont elle a été privée enfant.

Mais, Christian, parler de lui n'est pas son fort. On le sent mal à l'aise : son boulot n'a pas l'air de le passionner, il n'arrête pas d'en changer. Il aimerait voyager, partir à l'étranger peut-être, mais il n'a pas un kopeck en ce moment. Il y a quelques semaines, il a pris un petit studio dans le 19e arrondissement. Il se sent un peu isolé là-bas, derrière les maréchaux de la petite ceinture. Il voit moins le petit monde avec lequel il avait l'habitude de traîner. Il trouvera peut-être autre chose plus tard, il ne sait pas encore…

«Et les amours? demande ma mère. T'as quelqu'un en ce moment?»

Christian hésite.

«Oui, j'ai quelqu'un», fait-il le regard absent.

Ma mère, tout émoustillée, se lance dans un interrogatoire en règle : «Ah, mais c'est formidable, ça, et tu l'as rencontrée où? Au travail? Et ça fait combien de temps? Tu dois nous la présenter, je suis sûre qu'elle est très jolie, non?» Christian lui répond à peine, les mots hésitent au seuil de ses lèvres. Il regarde son visage en surimpression sur les champs de tournesols qui défilent derrière la vitre. Ce visage dont il a du mal à se dire qu'il est le sien; que tout ce qu'il pense, ce qu'il ressent se trouve enfermé là, derrière ce masque flouté. Ma mère finit par se taire. La voiture n'est plus qu'un bloc de silence. Et plus le temps passe, plus ce silence se durcit et décourage toute parole.

«C'est un mec, c'est ça? fait soudain mon père.

— Oui, c'est un mec», répond Christian.

Je sais exactement ce que mon père a dû penser à ce moment-là. Sur le principe, il n'a rien contre. Il connaît beaucoup d'hommes qui sont de la jaquette, comme on dit à l'époque, certes pas des intimes, mais des types qu'il aime bien, avec lesquels il dîne ou fait la fête, chez Castel ou ailleurs, mais son propre frère... Ça le rebute profondément. Il refuse de l'imaginer avec des hommes. Lui-même ne pourrait jamais. Question d'éducation. D'instinct aussi. L'acte le révulse. Alors il préfère se taire et se concentrer sur la route. C'est encore ce qu'il y a de mieux à faire.

Ma mère aussi est désarçonnée. Élevée dans un milieu d'intellectuels, elle a fréquenté beaucoup d'homosexuels, qui ne se cachaient nullement de l'être. Mais Christian, pour être sincère, elle ne l'aurait jamais soupçonné. Quoique, maintenant qu'elle y songe...

Sa rare délicatesse, ses airs un peu efféminés, le fait qu'elle ne lui ait jamais connu de petite amie… Le pire serait qu'il la croit choquée. Alors elle s'empresse de lui poser de nouvelles questions d'un ton léger : «Ah bon, je ne savais pas, il s'appelle comment? Ça fait longtemps tous les deux? Et vous vous êtes connus où?»

Pour Christian, c'est comme si l'air revenait brusquement à ses poumons. Il a tellement craint que cet aveu ne s'achève sur un silence, une impasse, mais voilà que ces mots, qu'il a prononcés d'une voix de mort, entraînent à leur suite tous les autres, ceux qu'il a gardés secrets si longtemps et qu'il débite maintenant avec précipitation, et un soulagement évident : il s'appelle X., il l'a rencontré en boîte de nuit, il y a trois mois déjà, ils sont très amoureux, c'est la première fois qu'il ressent ça, il n'avait jamais connu un truc pareil, mais surtout que ça reste entre eux, il ne voudrait pas que la famille l'apprenne; eux, il peut leur faire confiance, ils sont modernes, ils sont ouverts, ils côtoient tout un tas de gens, mais les autres, ça les mettrait dans tous leurs états, surtout les parents, alors il préfère garder le secret même si ce n'est pas facile, même s'il n'a personne à qui se confier autour de lui, c'est pour ça qu'il est si heureux de leur en parler aujourd'hui, c'est tellement important pour lui, tellement, s'ils savaient…

Mais ils ne peuvent pas savoir. Les amours masculines sont pour la plupart condamnées à la clandestinité. En 1960, le député Paul Mirguet a fait voter un amendement où la pédérastie est considérée, au même titre que l'alcoolisme, la toxicomanie ou la prostitution, comme un «fléau social». En cas d'outrage public à la pudeur, la loi prévoit un doublement des peines pour les actes entre individus du même sexe. Dans les faits, la répression se traduit par des descentes de police dans les jardins publics et les pissotières où certains hommes ont coutume de draguer. Une fois au poste, certains verront leur nom inscrit au fameux fichier des «tantouzes» de la préfecture. La censure frappe films et revues. On organise la chasse aux tapins des Champs, et on ferme les vespasiennes que les gays appellent des «tasses» et où les résistants se donnaient rendez-vous durant la guerre.

Bien sûr, il y a aussi les gazolines du Front homosexuel d'action révolutionnaire qui hurlent «les pédés dans la rue» en queue de défilé CGT; le prix Goncourt Jean-Louis-Bory qui s'affiche à la télévision revendiquant pour chacun le droit de vivre son homosexualité librement; les premiers clubs branchés de la rue Sainte-Anne, les icônes gays comme Saint Laurent et Noureev, ou encore le magazine *Le Gai Pied* paru pour la première fois en 1979, lequel publie des petites annonces de rencontres tout en ouvrant ses pages à Sartre ou à Foucault. Mais cette agitation reste assez minoritaire, assez parisianiste, assez marginale en un mot. Dans l'intimité, on est à la torture; les questions restent sans réponse. Est-ce que j'aime vraiment les garçons? Comment le savoir si je n'ai personne autour de moi dans le même cas? Est-ce que je devrais essayer d'en parler à Untel ou à Untel en prenant le risque qu'il m'en veuille ou qu'il le raconte à tout le monde? Et si j'étais tout simplement la proie d'un vice ou d'une perversion? Pourquoi ce sentiment de culpabilité sinon? Ou ce dégoût qui retombe sur moi quand je jouis dans les bras d'un inconnu, cette impression de sordide après avoir touché au sublime? Suis-je capable de vivre toujours avec ce poids? Ou bien ça finira par me passer?

Christian a sans doute choisi de se taire en espérant que les choses se résoudraient d'une manière ou d'une autre. Il a entendu parler des traitements médicaux auxquels on soumet alors les jeunes pour les guérir de l'homosexualité. Sur les conseils de son médecin, un futur ministre se verra administrer des injections d'hormones, avant d'être expédié dans une maison de repos pour subir des électrochocs. La fameuse thérapie par aversion : provoquer une souffrance à la vue d'une image censée procurer du plaisir.

Christian y a-t-il songé? Difficile d'y croire. Dans ces familles de la vieille aristocratie, le silence vaut toujours mieux que l'opprobre. On aurait simplement exigé de lui la plus grande discrétion et on ne serait plus jamais revenu sur la question. Mais tout de même… Il n'aurait pas échappé aux regards en coin, aux omissions, aux périphrases alambiquées. Une déception muette. Un scandale indolore.

Heureusement, il y aura eu cette scène sur la départementale de Mayenne, avec mon père et ma mère, où pour la première fois il tombe le masque. «Oui, c'est un mec.»

Une simple phrase et soudain le paysage s'élargit. La route et le ciel et les fleurs dorées des tournesols vibrent de couleurs et de détails.

Et là, dans cette voiture, il se sent plus réel et vivant que jamais.

15.

Je ne sais pas quand Christian a commencé à éprouver une attirance pour les hommes. Certains la devinent d'instinct ; d'autres mettent des années pour la découvrir. Tout ce dont je suis sûr, c'est qu'il a connu, vers onze ou douze ans, ces amitiés particulières qui naissent dans l'intimité des pensionnats pour garçons.

Le climat s'y prête ; la camaraderie virile remédie à la nostalgie de la famille ; une tendresse en remplace une autre... Le soir, Christian se déshabille en regardant du coin de l'œil ses voisins de chambrée. La promiscuité des dortoirs avive sa curiosité pour ces corps souples et déliés, aux muscles à peine esquissés, au centre desquels il devine ce minuscule animal de chair pareil au sien, tout prêt à se gorger de plaisir. Certains fanfaronnent déjà au sujet des filles – des cousines ou des bonnes le plus souvent –, mais la plupart se débrouillent avec les garçons. Les garçons qui sont partout, si brutaux, si désarmants. On commence par des bourrades dans les jeux de balle, des clins d'œil ou des billets en étude, des balades main dans la main lors des sorties communes et parfois même, lorsqu'on parvient à s'isoler loin de la surveillance des pions ou des préfets de division, des baisers lèvres serrées... Certains sautent alors le pas, et un jour Christian voit apparaître sous la mitraille de la douche une main qui n'est pas la sienne; hésitants, cheveux ruisselants, tête appuyée contre l'épaule de l'autre, ils se donnent mutuellement un plaisir jusqu'alors inconnu. Christian ne sait même pas le nom de cette chose-là; les pères ou les éducateurs parlent d'«actions honteuses», de «mauvaises influences», de «désirs impurs», comme si ces actes ne possédaient pas de réalité propre. Simple mouvement obscur, embrasement passager des sens, et déjà Christian est assis, vêtu et peigné, à son pupitre face au grand tableau noir et ses hiéroglyphes de craie blanche.

Plus tard, peut-être essaieront-ils d'autres choses, mais ce n'est pas l'âge encore. Christian, lui, en reste aux caresses, il s'y livre avec ivresse quand ses condisciples très vite s'en détournent. Peut-être a-t-il l'intuition alors... Mais elle se dissipe aussitôt. Des bêtises de gamin, des essais sans lendemain, voilà ce qu'ils se disent tous. Ses camarades ont déjà oublié; vingt ans après, ils sont mariés et pères de famille. Et si une petite poignée conserve la nostalgie éblouie de ces instants volés, c'est comme d'un âge d'or, où l'orgueil et les passions ne les avaient pas encore entraînés à choisir, à se tromper et à souffrir, fatalement.

Pendant longtemps on ne lui a pas connu de petite amie. Deux, trois flirts de vacances, une grande déception amoureuse, puis une femme plus âgée chez qui il habitera, jusqu'à ce garçon, dont il fait l'aveu à mes parents.

Je l'ai cherché, cet amant. Jamais retrouvé. L'histoire n'a pas duré. Dans un carton, que j'ai récupéré chez les franciscains de la Clarté-Dieu, il y a bien une photo où on voit Christian, jeune homme, randonner dans une forêt aux côtés d'un ami blond, bouclé, élancé comme lui, au visage d'ange un peu tragique. J'aime à penser qu'il s'agit du même homme et que son image l'a toujours accompagné alors qu'il œuvrait en tant que frère mineur dans les églises et les quartiers difficiles, dans les camps de Roms et les prisons pour délinquants sexuels. Dernière relique d'une vie à laquelle il a tourné le dos mais qu'il se refusait à voir sombrer tout à fait dans l'oubli.

J'aurais pu ne jamais en savoir plus. Sa vie amoureuse, jusqu'à sa conversion, reste un mystère même pour ses proches : ils calent, ils sont embêtés. Oui, il y a bien eu la découverte de son homosexualité sur le tard, mais il ne leur en a pas dit davantage. Ou ils n'ont pas voulu savoir. Ils en viennent rapidement au récit de sa révélation. Comme si Christian avait pris congé de sa propre biographie avant de réapparaître comme par miracle quelques mois après sur cette route d'Espagne... Sauf que ça ne colle pas, évidemment. Il y a un trou noir d'un an ou un peu plus. Que s'est-il passé entre-temps ? Personne pour me répondre.

Et puis j'ai découvert qu'il y avait un témoin de sa vie à cette époque, auquel je n'aurais jamais pensé. Et ce témoin, c'était ma mère.

Après leur séjour en Anjou, ils vont devenir comme cul et chemise. Ils s'appellent, ils se voient, ils dînent en tête à tête dans des brasseries qui ferment tard.

Christian a enfin trouvé quelqu'un à qui se raconter. Quelqu'un d'assez éloigné pour ne pas se sentir prisonnier de leurs liens, mais d'assez proche pour faire l'effort de le comprendre. Car la solitude de Christian alors, ma mère l'entend : elle ressemble à la sienne. Mon père s'absente souvent pour affaires, elle ne sait jamais vraiment où. Des projets de câbles sous-marins à Miami, de forages dans le golfe Persique, d'équipements de plongée intégrant les toutes dernières technologies. Sa courte mais brillante carrière d'ingénieur lui a donné la folie des grandeurs.

Cependant, plus que l'argent, plus que le statut social, ce qu'il veut conquérir, ce sont les femmes. Il est insatiable, il est irrésistible, il trompe ma mère régulièrement et sans vergogne. Certes, il a toujours été un coureur, mais, à quarante ans, elle espérait qu'il se rangerait. Tu parles… Les filles continuent de tomber comme des mouches. Pire encore : elles ne s'en relèvent jamais. Il y a celles qui pleurent sur l'épaule de ma mère lorsqu'elles la croisent dans une soirée, et celles qui appellent au beau milieu de la nuit avant de raccrocher en entendant sa voix au bout de la ligne ; il y a celles qui le surnomment encore vingt ans après « Rocky » ou « Le Magnifique » avec des accents orgasmiques, et celles que leur brutale disgrâce rend violentes ou mauvaises. L'une d'elles sabotera la roue de sa voiture ; il s'en tirera avec une sortie de route, deux tonneaux et une frayeur de tous les diables. Mais indemne. Comme toujours.

Voilà le genre d'histoires que ma mère peut raconter à Christian dans ces restaurants désertés du dimanche soir. Deux solitudes se rencontrent à un moment de leur vie, pour ne plus jamais se croiser ensuite. Christian ouvrant son cœur à Dieu, quand ma mère se confinera de plus en plus dans son petit milieu. Deux solitudes qui seront liées à jamais. D'autant que ma mère ne s'est pas contentée de lui confier ses chagrins d'amour ni de l'écouter ruminer ses penchants sexuels. C'est elle qui a entendu l'inaudible. Ses nuits de drague sauvage dans les jardins ou sur les quais, les inconnus qu'on prend en chasse, les étreintes fugitives, le sentiment déchirant de ne plus s'appartenir, de ne même plus savoir qui l'on est.

♣

16.

C'est au Palace qu'il en a entendu parler pour la première fois. Un décorateur d'intérieur, très guindé, lui avait offert un verre, persuadé de l'avoir croisé une nuit sur les quais. Christian ne savait même pas que ça existait. Là-bas, en Anjou, comment aurait-il pu imaginer? Le décorateur avait ri de son ignorance.

«Mais, mon pauvre, vous n'avez jamais lu Genet?»

Il avait commencé à lire Genet et les autres. Les rendez-vous dans les pissotières, les marins et les militaires en permission qu'on aborde sur les impériales des bus ou que l'on prend en chasse dans la rue, la piscine Rochechouart et les cabines des saunas, les gigolos et les garçons de *Sodome* – le roman d'Henri d'Argis préfacé par Verlaine – qu'on lève sur les Champs. Pratiques d'esthètes, de *happy few*, a-t-il pensé. Sauf qu'en ces années 1970 la drague homosexuelle est partout. Il découvre avec stupeur qu'il existe une foule d'hommes avec les mêmes corps et les mêmes désirs que lui, la même envie de se donner sans réserve, avec une impudeur nouvelle. «Avec quelle joie retrouvai-je cette odeur de garçon, ces mains de garçon et la rudesse sans feinte d'un plaisir pareil au mien», écrit

Pierre Herbart dans *L'Âge d'or*. Voilà maintenant qu'il pénètre cette vie entraperçue dans les livres. Il se mêle à ces anonymes de plus en plus nombreux, issus de toutes les couches de la société : du haut fonctionnaire à la Cour des comptes au travailleur immigré de banlieue, du pilote d'Air France au garçon de café d'à côté, du vieillard à demi impotent au minet du Drugstore Saint-Germain, du rôdeur compulsif au type de province qui n'a qu'une heure devant lui avant d'attraper son train, de l'homo revendiqué et conquérant à l'homme marié venu tirer son coup vite fait.

Dans les boîtes huppées où il a ses habitudes, il ose à peine aborder les garçons. Trop de regards pèsent sur lui. Tandis que dehors, au milieu de ces inconnus... Tout n'est que jeux de regards, filatures, furtives caresses. Pas un mot échangé. À peine un prénom arraché. Orage sexuel puis brutale amnésie.

Bientôt, il connaît par cœur cette géographie secrète du *cruising* qui suit d'est en ouest, à quelques digressions près, le cours de la Seine. Du bois de Vincennes – un des derniers terrains de chasse ayant survécu dans la capitale –, on passe ensuite par le square Capitan accolé aux arènes de Lutèce, puis à celui du pont de Sully, minuscule isthme à la proue de l'île Saint-Louis. Quelques encablures plus loin, le square Jean-XXIII, à l'ombre de Notre-Dame, et ses buissons adossés au jardin privé de la cure, est le rendez-vous favori de l'écrivain Renaud Camus. En poursuivant un peu plus bas, on trouve le petit square du Vert-Galant, les colonnes de Buren au Palais-Royal, la terrasse qui longe l'Orangerie ou encore l'aérogare des Invalides devant le kiosque à journaux. Près du rond-point des Champs, deux familiales à six places rameutent un monde fou, l'une du côté du Guignol et de la bourse aux timbres, l'autre sur l'avenue Marigny. Les gigolos arpentent les Champs-Élysées ou l'avenue des Nations-Unies en lisière des jardins du Trocadéro où Guillaume Dustan, à seize ans à peine, connaîtra, derrière une statue pseudo-grecque, sa première expérience homosexuelle. Au pied de la tour Eiffel, les sombres allées du Champ-de-Mars se peuplent de silhouettes vaguement inquiétantes. Dernières haltes en aval : le quai en direction de Bir-Hakeim, entre les carrés d'arbres, et la longue jetée de l'île aux Cygnes. Mais la scène principale de ces chorégraphies occultes, ce sont les Tuileries bien sûr.

Adolescent, si je traversais l'esplanade du Louvre, j'apercevais, dépassant des haies d'ifs qui encadrent l'arc du Carrousel, des têtes d'hommes immobiles, le regard sur le qui-vive, ou déambulant dans ce labyrinthe de verdure sans but apparent. Je me rappelle le malaise que ce manège m'inspirait, comme si la réalité, par une déchirure étrange, me donnait à entrevoir le décor d'un rêve obscur et angoissant dont la signification m'échappait, et que je m'efforçais d'oublier, sitôt le fleuve franchi.

À l'époque de Christian, ces haies n'existent pas, et l'action se déroule du côté de l'Orangerie dans la journée, où l'on peut louer des chaises et engager la conversation l'air de rien avec son voisin, avant de s'éclipser dans une des deux vespasiennes adossées au mur de la terrasse. Le soir venu, cette petite société secrète se déplace quelques mètres plus loin, avenue du Général-Lemonnier. Certains y garent leur voiture en attendant une opportunité. D'autres s'aventurent dans la pénombre des arbres contre le saut du loup, ou le franchissent pour s'engouffrer dans les jardins désertés du Carrousel sous l'auspice des *Trois Grâces* de Maillol. C'est là-bas qu'on est le plus tranquille. C'est là-bas, passé minuit, qu'il chasse.

Des tribulations nocturnes de Christian, ma mère garde une vision brouillée, comme si sa mémoire était rétive à leur rendre vie. Elle est assise face à moi dans son salon, près de quarante ans plus tard, mais ses yeux sont toujours écarquillés d'effroi, alors que j'essaie de ressusciter ses souvenirs.

«Il allait où, tu te rappelles?

— Oh, il draguait un peu partout à l'époque, je crois, mais surtout aux Tuileries. Il me disait qu'il se passait toujours plein de choses la nuit là-bas, qu'il y avait toujours moyen de trouver un garçon...

— Quel type de garçon?

— Pfff, alors ça, je pourrais pas te dire... Ça pouvait être n'importe qui. Il y avait pas de règles. Mais j'ai l'impression qu'il aimait bien les jeunes quand même. Et puis les voyous aussi. Maintenant ça me revient. Les vauriens, les petites gouapes, c'était son truc...

— Et une fois sur place, comment ça se passait?

— Oh, là, je sais plus. Tu me demandes des choses...

— Ils se regardaient, ils se suivaient?

— Oui, c'est ça, ils se regardaient, ils se suivaient, et puis tout de suite ça commençait. Ils échangeaient pas un mot. C'était vraiment pulsionnel. Vraiment animal.

— Il te racontait tout en détail?

— Tout! Tout! C'est ça qui m'étonnait le plus. Ça le gênait pas le moins du monde. Au contraire. Je sentais qu'il prenait du plaisir à me décrire tous les trucs qu'il faisait avec ces mecs.

— Quel genre de trucs, tu peux me dire?

— Ah bah, des trucs vraiment extrêmes. Des trucs dont j'avais pas du tout l'habitude, tu imagines.

— Et toi, tu réagissais comment lorsqu'il te racontait ça?

— Oh ben, moi, je ravalais ma salive, j'essayais d'être cool, en même temps j'étais un peu dégoûtée. Je me demandais pourquoi il avait besoin de me dire tout ça, à moi. L'année où je l'ai vu régulièrement, ça a été une année de drague pas possible, tu peux même pas savoir. Ça n'arrêtait pas.

— Tu sentais qu'il prenait du plaisir à ça?

— Ah oui, il aimait vraiment ça. Ça l'excitait beaucoup. Et en même temps, on voyait que ça le travaillait, toutes ces expériences, qu'elles le démolissaient d'une certaine façon. Comme s'il avait toujours besoin d'aller plus loin…»

Mais de ce plus loin, ma mère ne peut rien me dire. Elle ressasse les mêmes mots, les mêmes phrases, elle finit par se taire; sa mémoire fait marche arrière. «Tout ça, c'était il y a si longtemps, tu comprends.» Mais quand je vois ses yeux effarés, son menton tremblant, son visage reculant un peu plus à chaque question comme si une main imaginaire essayait de l'étrangler, je me dis que ce n'est pas si vieux. Que c'est même

119

tout proche. Alors j'essaie d'imaginer ce qu'elle voit à ce moment-là et qu'elle tait. Christian pénétrant cette nuit anonyme pleine d'ombres et de renfoncements et de silhouettes solitaires qui s'assemblent dans une sarabande macabre. Le halo froid des réverbères et le crissement du sable détrempé sous ses pas et les griffures laissées par les buis coupants qu'il frôle au passage. Puis cet inconnu dont il croise le regard au détour d'une allée, le désir soudain mis à nu, son cœur prêt à éclater dans sa poitrine, avant qu'il baisse les paupières et poursuive son chemin sans un mot. La gifle du désespoir, l'envie qui brûle au creux du ventre, et puis la ronde immanquablement qui reprend. Les chuintements des feuilles, les craquements étouffés, les mouvements furtifs aperçus à travers le lacis des branchages. La peur lui serre la gorge chaque fois qu'il devine à travers l'obscurité une présence. Peur jaillie depuis le fin fond de l'enfance, depuis les chambres silencieuses aux rideaux tirés derrière lesquels on imagine qu'un monstre est tapi. Sauf que les monstres ici existent... Flics en civil, pervers et sadiques qui l'obligent à faire des trucs répugnants, brutes, surtout, qui viennent en bande pour casser du pédé. Il y a tellement d'histoires atroces qui circulent, des mecs que du jour au lendemain on n'a plus revus. Les journaux n'en parlent jamais. Ou alors ils titrent : «Encore un crime passionnel». La vérité, personne ne la connaît. La vérité, une fois qu'on a pénétré ce monde de fantômes, a les contours d'un rêve où tout finit par se confondre et se perdre. Le sang cogne contre les tempes de Christian, le danger s'écoule en petites gouttes glacées dans le bas du dos, mais le désir plus fort que tout empêche de faire demi-tour. Le désir demande à voir le monstre. Et le monstre apparaît soudain sous la forme d'un garçon à la beauté sidérante. Un garçon au visage d'ange tragique et aux boucles dorées...

17.

Il a failli ne pas y aller ce soir-là. Il s'était dit qu'il se coucherait tôt pour une fois. Mais rester seul le terrifie. Il a beau regarder la télé, essayer de bouquiner, rien n'y fait, le sommeil ne vient pas.

Au Champ-de-Mars, il n'y a pas un chat. Il aurait dû s'en douter, avec le froid et ce crachin qui n'en finit pas de tomber. Il fait les cent pas sous la masse sombre de la tour Eiffel, ses derbys maculés de sable. Près de la pièce d'eau où barbotent les canards, il aperçoit un type immobile sous un arbre. Vieux, bedonnant, le même regard implorant qu'un chien : il presse le pas. Est-il tombé si bas? Il est tard déjà, personne ne viendra, alors qu'est-ce qui le retient de faire demi-tour? Il se déteste d'être là, mais il se détesterait encore plus de regagner maintenant son studio – les meubles butés dans leur silence, les stores laissant filtrer sur son lit l'éclat pâle d'un lampadaire, et puis le néon accusateur du frigidaire où traînent des yaourts et un fond de vin blanc. Il n'en peut plus de cet appartement, de cette solitude bien ordonnée, de ce quotidien médiocre. Ce qu'il veut, c'est sentir la terre trembler sous sa peau, sentir son sang gicler dans ses tempes, sentir son corps exploser et se dissoudre dans le ciel nocturne comme des traînées de feu d'artifice. Voilà pourquoi il continue de marcher, malgré le froid, la bruine et le vieux dégueulasse qui le guette sous le platane. Il continue parce que sa vie lui fait horreur et qu'il espère en trouver une autre là, juste derrière les arbres ruisselants et les lumières blafardes.

Oui, il a failli ne pas venir ce soir-là, mais quand il les voit, il sait dans l'instant que c'est trop tard. L'un roule un joint à l'abri de son bomber, l'autre shoote dans une cannette de bière vide. Jeans à ourlets, cheveux rasés, chaussures militaires. Il se rassure comme il peut. Après tout, il n'est pas accompagné, il peut très bien habiter là, de l'autre côté du Champ-de-Mars. Et puis, s'il tourne les talons maintenant, ils trouveront ça louche. Ces types-là, c'est comme les chiens : ils reniflent la peur. Alors il rentre la tête dans son pardessus et poursuit son chemin.

«Hé, t'as du feu?»

Christian se retourne. Le type a une tête de bouledogue et un tatouage dans le cou.

«Non, désolé.

— Putain, je suis sûr que c'est une tantouze.

— Hé, toi là, mon pote dit que t'es une tantouze, c'est vrai?

— Mais regarde-le, c'est une putain de tarlouze, je te dis. Il marche comme une gonzesse.»

Christian fait mine de ne rien entendre. Surtout ne pas répondre, ne pas céder aux provocations, dans trente secondes il sera loin déjà.

«Oh! Tafiole! Tu cherches des pédés, c'est ça? Oh, mais t'en va pas comme ça! Faut pas avoir peur de nous. On rigole, là.»

Ils le sifflent, ils l'insultent, ils sont déjà là, derrière lui. Christian regarde droit devant. Ses pieds vont de plus en plus vite. Son cœur s'affole dans sa poitrine. Courir, c'est ça, il faut qu'il coure. Mais au moment où il s'élance, il sent un immense poids s'écraser sur son dos et il se retrouve plaqué à terre.

«Putain, regarde-moi cette salope, elle fait moins la maline, là.»

Il ne voit rien que le sol creusé de flaques et une paire de rangers. Le type se baisse et sa main se met à fureter à l'intérieur de son pardessus. Il attrape son portefeuille et le jette à son copain avant de poursuivre sa fouille.

«Putain, j'en étais sûr, il a du feu, cet enculé.

— Vas-y, passe-le-moi.»

Il entend la mollette du briquet tourner puis un long grésillement. Le type aspire la fumée du joint et la recrache.

«Alors, t'étais venu te faire enculer, c'est ça?

— J'ai rien fait. Je rentrais chez moi. C'est tout.

— Et c'est où, chez toi?

— Place des Fêtes.

— Place des Fêtes? Tu te fous de ma gueule? C'est à l'autre bout de la ville.

— Ces putain de tantes, ils me dégoûtent», lâche l'autre en crachant à terre.

Le premier coup de pompe part dans les côtes. Puis un deuxième. C'est un orage de pieds qui s'abat sur son corps. Les coups se répercutent jusqu'au creux de ses os. Il se blottit en fœtus pour se protéger. Puis le type au tatouage l'empoigne par le col et le force à se relever. Christian le regarde, hagard. Il n'arrive pas à croire que c'est en train de lui arriver.

« Alors, t'aimes ça, salope. T'en veux encore ? Hein ? Qu'est-ce que tu dis ? J'entends pas. »

Christian marmonne quelque chose, mais un genou vient aussitôt lui percuter le visage. Il tombe à la renverse et une semelle s'abat sur sa gueule comme si le type cherchait à l'enfoncer sous terre. À lui briser le crâne comme une coque de noix.

Enfin tout s'arrête. Il n'entend plus rien. Ils sont partis sans doute. Il attend quelques secondes, immobile. Un liquide chaud coule entre ses lèvres. C'est la pluie qui recommence. Ou peut-être le sang, cette plaie béante qu'il devine à la place de son nez. Mais soudain il comprend : le type est en train de lui pisser dessus.

18.

Hier soir, j'ai appelé Margarita pour la première fois depuis longtemps : ai-je raison de revenir sur ces histoires, d'écrire sur la vie secrète de Christian? Question qui me torture car elle dépasse la littérature; elle engage aussi ma foi... La vérité vaut-elle les larmes? Suis-je encore mû par l'amour chrétien si je finis par blesser ceux qui lui étaient chers? Suis-je toujours en train de chercher la lumière de Dieu en fouinant dans les poubelles de son passé?

Je pense à ses frères, à ses sœurs, à tous ceux pour qui Christian était un ami ou un guide spirituel et qui ne savent rien de ses nuits clandestines. Je pense à ceux qui auraient préféré qu'elles l'accompagnent dans la tombe, de crainte qu'en lui survivant elles ne ternissent le souvenir si doux, si radieux qu'ils ont conservé de lui. Certains me reprocheront d'être allé trop loin; d'autres m'en voudront de raconter jusqu'à quel abîme de désespoir ces expériences l'ont mené. Et qu'ai-je à leur répondre, sinon que ça s'est passé comme ça, que je n'invente rien.

Non, je n'invente rien, mais il y a autant de vies que de narrateurs, et celle que je raconte me ressemble fatalement. Fait écho à mes fêlures et à mes démons. Beaucoup n'y retrouveront pas Christian, car ce Christian n'appartient qu'à eux-mêmes. Mais comment se serait-il raconté, lui? Aurait-il été tenté par l'édification comme dans ces vies de saints exemplaires et jalonnées de prodiges à marcher sur la tête? Ou m'aurait-il confessé ces nuits de sexe et d'errance, d'angoisse et d'orgasmes volés? Question sans réponse.

Margarita m'a écouté sans m'interrompre, puis enfin elle a dit :

«Et si tu causais de la peine à certains mais donnais de l'espoir à d'autres?

— Quels autres?

— Eh bien, tous ceux qui te liront, ou qui entendront parler de ton livre, et qui se reconnaîtront dans cette histoire.

— Tu veux dire l'histoire d'un aristo mondain, obsédé par le sexe, qui un beau jour a vu Dieu et a tout plaqué pour devenir frère franciscain? Oh oui, je crois que ça arrive tous les jours, en effet...

— Mais non, peu importe les détails, a repris Margarita, le propre du lecteur, c'est de se reconnaître dans une histoire qui n'est pas la sienne. Et je crois que cette histoire peut parler à beaucoup de monde parce que, ce que tu me racontes là, c'est ni plus ni moins celle d'une résurrection.

— Oui, enfin, je ne veux pas te gâcher la fin de mon livre, mais il meurt.

— Bien sûr qu'il meurt. Mais avant il est revenu à la vie. Une vie qui remplit, une vie qui fait sens. Et il y a beaucoup de gens qui sont comme morts en ce monde et attendent de connaître enfin la vie, tu ne crois pas?»

Les mots de Margarita m'ont aussitôt remis en mémoire une interview de Christian où il parle justement du mystère de la résurrection. Et il l'évoque non seulement comme un événement qui fonde la foi chrétienne, mais aussi comme un mystère que nous portons tous en nous. Chacun, malgré ses drames, ses défauts, ses déchirures, est appelé à renaître à Dieu. À cette source de paix et d'amour qui nous donne le sentiment d'adhérer au monde avec la confiance d'un enfant. Chacun, même le plus misérable, même le plus chétif, même le plus détestable d'entre tous, est une puissance de résurrection.

«Et tu ne penses pas qu'il y a des gens qui ont envie d'entendre ça? m'a demandé Margarita. Et tu ne crois pas que cette interview, c'est à toi qu'il l'adresse aussi?»

À moi, je ne sais pas. Mais qu'une personne ait pensé, un jour, à interroger ce pauvre frère franciscain et à retranscrire ses mots pour qu'ils lui survivent me paraît une chance inouïe.

Cette personne, c'est Michel Pilorgé, un catholique fervent, venu faire une retraite dans la communauté franciscaine du Havre où Christian vivait alors. Michel Pilorgé, ai-je appris plus tard, est acteur; il a joué entre autres dans *Les Valseuses* aux côtés de Patrick Dewaere et de Gérard Depardieu. Mais le seul de ses rôles qui m'est familier, c'est celui qu'il a tenu face à Christian, il y a dix ans, dans le dialogue de quelques pages où ils évoquent Pâques et le mystère de la résurrection, et qu'il a reproduit sur son site en ligne.

J'ai essayé de joindre Pilorgé sans succès. Son blog n'est plus actif depuis longtemps. Il y a bien le numéro d'une association catholique d'aide aux comédiens, mais personne ne décroche jamais. À croire qu'ils sont tous morts, là-dedans. Quant à son agent, s'il l'est encore, il ne répond pas, comme tous les agents. La seule trace de cette conversation aujourd'hui est une impression sur papier A4, sauvée des limbes d'Internet, et par la grâce de laquelle la voix de Christian m'est enfin rendue.

Christian y explique que Dieu nous prend toujours tels que nous sommes, avec nos manques, nos histoires, nos déviances. Puis il ajoute : «Les grands saints sont ceux qui ont accepté ce qu'ils étaient, qui ont suivi des chemins de conversion, qui ont pu faire apparaître des qualités, des talents autrement, et qui même ont pu retourner des défauts pour en faire des dons aux autres. C'est là aussi un signe de résurrection.» Alors Michel Pilorgé lui demande d'expliciter sa pensée, et Christian répond : «Pour Charles de Foucauld, on a essayé de gommer, mais on n'y est pas arrivé. Pour saint François, on a essayé de gommer, on n'y est pas arrivé; on n'a pas pu cacher qu'ils étaient fêtards, qu'ils aimaient la vie, l'argent, et que c'est justement cette énergie-là qui s'est transformée pour aller vers les pauvres et pour mettre les hommes debout.»

Christian, de toute évidence, songe à sa propre histoire quand il évoque ces deux grandes figures de la chrétienté. Charles de Foucauld d'abord, dont la vie rappelle tant la sienne. Descendant d'une vieille famille de la noblesse française, élève médiocre, viré de chez les Jésuites, grand amateur de cigares, de vins rares et de foie gras aux truffes qu'il dévorait à la cuillère – ce qui lui vaudra d'être surnommé «le porc» par ses condisciples de l'école de cavalerie de Saumur –, ramassant les tapineuses du Quartier rouge ou faisant venir des demi-mondaines en train depuis Paris, mis régulièrement aux arrêts, sorti bon dernier de sa promotion, incapable de choisir aucune carrière, s'aventurant dans une expédition de deux ans au Maroc, puis sombrant à son retour à Paris dans la neurasthénie avant de vivre, dans un confessionnal de l'église Saint-Augustin, un retournement spectaculaire qui l'amènera à suivre le chemin du Christ, en Judée, en Syrie, puis aux confins du désert d'Algérie où il mourra en martyr de la foi. Mais plus éclairant encore est l'exemple de saint François. Parce que c'est lui dont Christian décidera de suivre le chemin.

19.

Je ne sais pas précisément où ni comment il l'a rencontré, mais il est assez facile d'imaginer ce qui a dû le toucher dans l'histoire de ce fils de drapier qui, à vingt-six ans, décida de tout abandonner pour suivre à la lettre les préceptes du Christ tels qu'il les avait entendus un jour dans l'église de la Portioncule, près d'Assise, alors que le prêtre faisait lecture de l'Évangile selon saint Matthieu : «Si tu veux être parfait, va, vends tout ce que tu possèdes et donne-le aux pauvres, et tu auras un trésor dans le ciel; viens, suis moi.»

François l'avait suivi. Il avait quitté père et mère, un avenir aisé dans le commerce pour retourner à la simplicité de la vie apostolique. Il était parti prêcher l'Évangile dans les champs, sur les places des villages, à l'intérieur des maisonnées où il entrait en saluant les gens d'un joyeux «*Pace e bene!*», arpentant sans relâche les chemins de l'Ombrie, chantonnant des airs en français à la façon des troubadours de son enfance, dormant à la belle étoile ou dans les étables aux côtés des bestiaux, puis reprenant la route le lendemain, toujours pieds nus, les cheveux hirsutes, vêtu d'une simple bure en grosse toile, ceint d'une corde à trois nœuds, mendiant son pain ici et là, donnant parfois un coup de main aux paysans, rénovant pierre après pierre de petites églises écroulées, soignant les malades dans les léproseries où plus personne n'osait s'aventurer, en butte jour après jour aux railleries, aux quolibets, aux jets de pierre, aux voyous qui le rouaient de coups, le traitaient de fou ou d'homme des bois, et aux chenapans qui s'amusaient à l'attraper par la capuche et à le traîner comme un sac de toile sur les rugueux pavés de la ville, à tel point qu'on commençait à le tenir pour un saint et que des rumeurs circulaient sur ce *poverello*, ce petit pauvre, qui avait abandonné son héritage pour vivre tel un mendiant, partageant le sort des exclus et des malades tout en souffrant les affronts et les privations avec joie, ce prédicateur itinérant qui s'adressait à tous, non en latin comme les clercs de son temps, mais en langue vulgaire, sans grandes phrases, sans toutes les subtilités de la scholastique, avec chaleur et familiarité, donnant à sentir que Dieu n'était pas une figure abstraite et terrifiante, séparée du monde, mais qu'il était là, parmi eux. Qu'ils portaient tous sa lumière quels qu'ils soient, même le plus petit, même le plus misérable, même le plus mauvais, même le plus haïssable, et qu'en conséquence ils étaient dignes d'être aimés comme l'étaient toutes choses de la création auxquelles François avait coutume de se référer comme à des membres de sa famille, les appelant «notre mère la Terre», «notre frère Soleil», «sœur Lune et les Étoiles» et ainsi de suite. Et cet apôtre, qui avait tout quitté, qui était parti seul pour ramener Dieu parmi les hommes, avait été bientôt rejoint par un puis deux puis trois compagnons, et au bout de dix ans ils étaient déjà cinq mille, et au bout de dix siècles son nom s'inscrivait au fronton des églises et des écoles et des hôpitaux et des mairies et des centres d'hébergement et des foyers pour jeunes en difficulté, mais surtout il continuait d'habiter une poignée de fidèles qui avaient abandonné leurs familles et leurs biens pour régler leur vie sur la sienne, partageant leurs journées entre la prière, le travail manuel et l'aide aux pauvres, aux réfugiés, aux gens du voyage, aux détenus de longue peine, à tous les déclassés, car c'est ce que le Christ leur avait enseigné.

J'imagine qu'il a été touché par cette dévotion hors du commun, mais je devine ce qui l'a marqué davantage : c'est qu'il ait vécu comme lui une jeunesse en opposition avec Dieu, vouée tout entière aux rêves de gloire et aux plaisirs illicites.

Garçon fragile. Moqué par ses frères. Ne brillant guère dans les études. François rêve, comme tous les jouvenceaux de son temps, de devenir chevalier. Ses idoles s'appellent Roland ou Charlemagne, Guillaume d'Orange ou Girart de Roussillon, Lancelot du Lac ou Yvain, le Chevalier au lion, autant de figures devenues familières grâce aux chansons de geste des troubadours descendus du sud de la France ou aux récits des légendes arthuriennes popularisées par les romans de Chrétien de Troyes.

Ce ne sont pas seulement leurs faits d'armes qui fascinent le jeune François, mais que ces hommes côtoient les princes et les rois, qu'ils soient admis aux banquets et adulés des dames. C'est qu'il se trouve, derrière ces heaumes et ces cottes de mailles, de jeunes bacheliers comme lui qui, à force d'exploits et de témérité, se sont hissés parmi les *nobiles*, obtenant que leur épée, privilège suprême, soit bénie sur l'autel.

Assis dans l'échoppe paternelle, au milieu des ballots de tissus et des cascades de draps soyeux, François galope en songe vers d'autres contrées. À lui la gloire que chantent les jongleurs lors des tournois et des fêtes populaires. À lui les richesses et les trésors, butins de guerre ou chevaux concédés par d'autres preux au sortir de joutes mémorables. À lui les terres et les fiefs, châteaux et forteresses que les seigneurs promettent aux valeureux qui ont guerroyé à leurs côtés. À lui, surtout, l'amour.

Des excès et des frasques de sa jeunesse, on sait peu, hormis cette phrase énigmatique qui apparaît au tout début de son *Testament* : «Lorsque j'étais dans les péchés…» Saint François, sous sa plume, n'en dira jamais plus, et l'Église fera tout par la suite pour que ce silence perdure, allant jusqu'à brûler les écrits antérieurs à l'hagiographie écrite par saint Bonaventure.

On a essayé de gommer mais on n'y est pas arrivé, comme le dit Christian. On n'a pas pu cacher qu'il était un fêtard et qu'il aimait la vie. Qu'il dépensait sans compter la fortune de son père, qu'il donnait des banquets, choisissait les meilleurs mets, essayait d'imiter la vie des jeunes *milites* d'Assise. Sa largesse fait l'admiration de tous. Comme sa manière recherchée de s'habiller. Il raffole des étoffes brillantes, des couleurs métalliques ou saturées propres à l'héraldique de son temps. Le drap d'écarlate surtout, que seuls les

nobles se permettent d'habitude et que les lois somp-
tuaires bientôt interdiront aux bourgeois. Il pousse le
snobisme jusqu'à faire coudre sur ses luxueux habits
des étoffes à bas prix. Au risque de tirer sur elles et de
les déchirer.

Le jour, il s'exerce à cheval, s'essaie aux joutes ou
aux fameux *armeggiere* où l'on parodie un affronte-
ment entre cavaliers. La nuit, il se livre à des beuveries
entre amis avant de battre le pavé, entonnant des
chansons paillardes, beuglant aux fenêtres de jeunes
filles pieusement endormies.

Beaucoup parmi eux font partie des célèbres *bri-
gate*, confréries de jeunesse qui sèment la zizanie dans
les villes et les villages, organisant des dîners orgiaques
ou des parades burlesques à la moindre occasion.
Noceurs fortunés qui font ripaille dans les meilleures
auberges, invitent des femmes à table malgré les
ordonnances communales, fréquentent les prostituées
des bas quartiers ou trompent l'ennui en se livrant
entre eux à des jeux sexuels.

Saint François a-t-il eu le goût des garçons lui
aussi? Possible. Mais là n'est pas l'essentiel. Ce qui
compte, comme chez Christian, comme chez Charles
de Foucauld, c'est cette passion de la débauche, cette
surenchère dans l'excès, cette recherche désespérée
d'intensité qui se transformera «pour aller vers les
pauvres et mettre les hommes debout».

À quoi bon le cacher alors? À quoi bon nier? C'est
cette vie, semble dire Christian, qui l'a conduit vers la
sainteté. C'est parce qu'il avait épuisé tous les possibles, tous les corps, tous les vins, toutes les secousses
de la chair, qu'il en est venu à l'impossible. À ce qui se

trouvait au-delà de lui-même. À l'amour. Mystère de la grâce qui fait jaillir la lumière au plus profond de l'obscurité.

Christian non plus ne voudrait pas qu'on taise son passé, ni qu'on cherche à l'édulcorer. J'en ai la certitude en lisant cet entretien avec Michel Pilorgé. Il voudrait que son histoire soit racontée sans rien laisser de côté. Même cette nuit de l'âme où il a fini par sombrer.

20.

Mon père a reçu un coup de fil au petit matin ; il ne se rappelle plus qui l'a passé. Peut-être les policiers. Ou les gens de l'hôpital. Christian avait été tabassé par des inconnus au Champ-de-Mars ; on l'avait retrouvé là-bas, à demi-inconscient. Il venait d'être conduit à l'Hôtel-Dieu. Mon père a réveillé ma mère, et ils ont sauté dans un taxi.

À l'hôpital, c'était la panique. Ils n'étaient pas sûrs de l'endroit où on l'avait admis. Ils ont marché dans des couloirs en redemandant dix fois leur chemin. Puis ils sont entrés dans une chambre. Il y avait là un type avec le visage complètement démoli, un monstre, et ma mère a eu un haut-le-cœur. Elle allait sortir quand mon père l'a retenue. C'était lui. Christian.

Deux yeux pochés dont l'un tellement noir et boursouflé qu'il ne pouvait pas lever la paupière, les lèvres gonflées et croûtées de sang, laissant entrevoir une brèche entre ses dents, des ecchymoses tatouées sur la peau et cette encoche violacée lui barrant le sommet du nez. Les infirmières lui avaient posé une minerve, et une perfusion pendait de son bras. Le reste du désastre était caché sous les draps.

Il n'a pas réussi à les saluer. L'infirmière s'est éclipsée. Ils n'ont pas eu besoin de l'interroger sur ce qui s'était passé ni qu'on leur explique quoi que ce soit. Ils avaient deviné : s'il s'était fait péter la gueule dans un jardin désert au beau milieu de la nuit, c'est qu'il était en train de draguer et qu'il était tombé sur la mauvaise personne. Ils ne tenaient pas à connaître les détails. Le voir dans cet état parlait de soi : il aurait pu être tué, oui, il aurait pu être tué, et c'était la seule chose qui comptait.

Ma mère est sortie de la chambre pour laisser mon père seul aux côtés de Christian. Il avait de la peine pour lui, et en même temps cette situation l'écœurait. En tant qu'aîné, il se devait de faire quelque chose. Là, ça allait trop loin, il fallait que ça cesse. Qu'il se tape des mecs, très bien, c'était son problème, mais pas comme ça, pas dehors, pas dans ces endroits-là, pas avec des types dont on ne savait même pas d'où ils sortaient. Qu'est-ce qu'il avait dans la tête ? Il voulait crever, c'est ça ?

Aujourd'hui, mon père regrette d'avoir passé un savon à Christian, et d'avoir quitté sa chambre si vite après. Mais comment supporter de le voir s'avilir ainsi. Tomber dans une telle déchéance. Il se sentait trahi, il se sentait sali lui aussi. Un homosexuel raffiné, un baron de Charlus, voilà ce qu'il aurait préféré. Mais pas un type qu'on ramasse à demi-mort dans un jardin pour pédés au beau milieu de la nuit. Ça, non.

Il sort sans un regard en arrière. Dehors déjà il n'y pense plus. C'est un homme immunisé contre le malheur. Les pleurs, les brouilles, les ruptures lui font moins peur que la roulette du dentiste. Mais, pour Christian, cette rupture avec son frère aîné, c'est ce qui pouvait arriver de pire. Il perd la seule personne de sa famille qui connaît tout de sa vie, la seule personne à savoir la raison de sa présence sur ce lit d'hôpital. Devant les autres, il restera flou : des loubards, je rentrais de chez une copine, ils m'ont piqué mon portefeuille... Et tous lui serviront les mêmes mots de compassion, les mêmes boîtes de chocolats, les mêmes baisers appuyés sur le front. Mon pauvre Cricri, quelle histoire ! Tu nous as fait une de ces peurs, tu sais !

Et lui donc ! Comme il a eu peur, s'ils savaient. Comme il tremble encore de tout son corps en se remémorant ce déluge de violence. Ce ne sont pas seulement les coups, ce sont les mots surtout. Sale pédé, tafiole, putain de tarlouze : voilà ce qu'il est. Tous voient encore en lui le Christian si gentil, si sensible, si délicat, en réalité il n'est qu'une putain de tantouze. C'est ça, la vérité. Une tante, une pédale qui lève des inconnus dans les jardins publics, un obsédé. Comme il se hait. Comme il a honte de ce qu'il est devenu. Ce visage déformé, ce corps brisé de toutes parts, c'est son châtiment. La manifestation physique de sa pourriture morale. Car il y a autre chose qu'il ne dit pas. Les petites taches rosées sur le dos et les paumes de ses mains, la fine plaie rouge et indolore sur la verge qu'il traîne depuis quelques semaines déjà, et qu'il a préféré ignorer. Les médecins ont posé leur diagnostic. Un verdict implacable : la syphilis...

À la sortie de l'hôpital, il passe des journées solitaires, reclus dans son appartement. La nuit ressemble au jour et le jour se confond avec la nuit. Il laisse le téléphone bourdonner dans le vide. Une sonnerie grêle, agressive. Puis de nouveau le silence auquel il se sait condamné. Il est à peine capable de se lever de son lit pour se cuire un œuf au plat ou ramasser les affaires sales qui jonchent le sol de sa chambre. Lui d'habitude si soigné, si esthète – tous les efforts pour ennoblir son quotidien lui semblent désormais d'une vacuité inouïe. Mensonges, artifices. À la fin, tout se résume à son corps en morceaux, aux douleurs lancinantes dans les côtes et aux jambes, aux piqûres de pénicilline qu'il doit s'administrer à intervalles réguliers dans la cuisse. Chaque fois qu'il regarde l'aiguille transpercer sa peau, le dégoût lui monte à la gorge. Un brusque mouvement de haine pour lui-même. Pour le gâchis qu'il a fait de sa vie. Il suffirait de courir à la fenêtre pour en finir. Il se rappelle cette nuit en Anjou il y a plus de dix ans, le goût métallique du fusil dans sa bouche. Peut-être aurait-il enfin le courage aujourd'hui... Mais voilà qu'on sonne et qu'on tambourine à la porte. Une voix familière. Patrick, son vieux copain de chez les louveteaux. Patrick qui, depuis cette nuit du Champ-de-Mars, lui téléphone quotidiennement, lui apporte de la nourriture et les journaux, essaie de le ramener du côté de la vie. Issu d'un autre milieu, il n'a jamais été dupe des chemises de smoking avec jabot ni des princesses aux noms à rallonge. De cette vie d'excès où son ami a dilapidé sa jeunesse. Pour lui, il a toujours été le type malingre du fond de la classe, dont les garçons crevaient les roues de vélo. Tout le reste...

Christian tombe sur une chaise et laisse Patrick s'affairer en cuisine.

«J'ai écrit à ton père», jette ce dernier par la porte entrouverte.

Christian tressaille.

«Qu'est-ce que tu lui as dit?

— Pas tout, rassure-toi. Je lui ai simplement expliqué que tu étais au fond du trou, qu'il devait faire quelque chose.

— Je ne veux pas mêler mon père à ça. Je ne veux pas qu'il me voie dans cet état, tu comprends?

— C'est trop tard, de toute façon. Il doit partir en Espagne avec ta marraine visiter la Castille, Salamanque, Avila... Il t'emmène avec lui. Partir de Paris te fera du bien.

— En Espagne?

— Qu'est-ce que tu as à perdre, après tout?»

21.

Plus tard, lorsqu'il évoquerait la vie de François dans ses homélies ou durant des retraites de prière, il reviendrait souvent sur cette courte période de sa vie, si mal connue des historiens, où le futur saint a sombré dans le désespoir.

À l'époque, François rêve encore de s'illustrer par les armes. Sa tête est tout emplie de cavalcades échevelées et de cris jetés, visière rabattue et bannière au vent. Aussi, lorsque les habitants d'Assise entrent en guerre contre ceux de Pérouse, la ville voisine, il ne balance pas un instant. Éperons aux flancs de sa monture, lance pointée vers son destin, il se porte aux premières lignes. Hélas, l'aventure vire à la débandade. Les Pérugins sont mieux préparés ; les Assisiates taillés en pièces ; François est fait prisonnier. On le ramène à Pérouse avant de le flanquer dans un cachot avec les cavaliers qui ont réchappé à la boucherie. Une petite cellule souterraine, insalubre, où ils sont entassés, de lourdes chaînes aux pieds. Les jours fuient, les rats les exaspèrent, la faim leur ronge le ventre. Rien pour se sauver de l'ennui ou de la crainte de ne jamais revoir la lumière. Ils sont bien loin, les preux et les paladins, les noceurs et les élégants ; il n'y a plus ici que loques et moribonds, squelettes murmurants et déments, qui déblatèrent tout seuls comme ces pauvres *pazzi* dont ils avaient coutume de se moquer à Assise dans l'insouciance de leur jeunesse. Mais leur jeunesse est morte désormais. Et dans cette basse-fosse qui pour beaucoup deviendra un tombeau, ils en portent tous le deuil.

Ses hagiographes auront beau jeu de louer la patience et le dévouement de François auprès de ses camarades d'infortune, comme si sa vie passée devait être toujours relue à la lumière de sa sainteté future, mais la vérité c'est qu'il est malade et déprimé lui aussi. L'hiver arrive ; il gèle à pierre fendre en Ombrie. Et, dans leur cachot, aucun feu pour se réchauffer. François contracte une fièvre quarte qui ne lui laisse, entre deux attaques, que quelques jours de répit. Puis bientôt c'est la tuberculose, les sueurs la nuit, les poumons qui crachent sans arrêt. François par miracle en réchappe. Un beau matin, la porte de son cachot s'ouvre ; on vient le chercher ; son père a payé une rançon faramineuse. Les gardes le poussent devant eux ; François boitille vers la lumière du jour qu'il n'a pas vue depuis un an. Elle lui transperce les yeux. Il recule vers la pénombre. Il ne reconnaît rien du monde auquel on le rend.

Durant les mois qui suivent, François reste alité, à bout de forces, on craint pour sa vie. Les médecins se succèdent à son chevet, sa mère s'applique à le faire marcher autour de sa chambre, mais quelque chose est brisé en lui. Le souvenir de ses amis trucidés durant la bataille ou de ceux qui agonisent encore en prison le hante. Toutes ces armures et ces chevaux, ces vins et ces plaisirs pour finir de la sorte ! À quelle gloire peut-on prétendre sur terre quand on termine déchiqueté par les corbeaux et les lombrics ? L'existence lui paraît soudain d'une imbécillité effrayante. Il y a un an, il était encore là avec ses camarades à rire et à provoquer, tous pleins d'une fierté pétaradante, et maintenant... Même les paysages familiers des collines d'Assise, où il allait se promener et jouer enfant, lui paraissent gris et hostiles. C'est toute la nature qui semble conspirer à sa mort. Sa mort inéluctable, sa mort certaine. Cela aussi, il y pense, et il ne s'y fait toujours pas. Quelle existence peut racheter la douleur de devoir quitter ce monde ? Quelle existence peut justifier tous les efforts et les sacrifices qu'on lui consent ? Il ne voit rien autour de lui que des pauvres hères en sursis fuyant leur misère dans le labeur ou les vices, ajoutant un malheur à un autre...

Quand il est enfin apte à se déplacer, appuyé sur un bâton, il se rend à la boutique de son père qui le presse de reprendre les affaires. Il travaillote pour donner le change, mais rien n'y fait : ces ballots d'étoffes rares ne sont plus que de vulgaires chiffons et les pièces d'or qui miroitent sur le comptoir simple ferraille. Il s'ennuie à mourir, et quand ses anciens copains de bamboche l'entraînent avec eux, il n'a pas le courage de dire non. L'alcool au moins dilue sa mélancolie ; le vacarme de la fête fait taire un temps ses angoisses. Mais dès le lendemain les revoilà, plus âpres, plus vertigineuses encore.

Il croit entrevoir une issue à son marasme quand un noble assisiate lui fait connaître Gautier de Brienne, chef de guerre intrépide en train de lever des troupes pour reconquérir Lecce et chasser les partisans du Saint-Empire du sud de l'Italie. Une cause taillée pour François qui n'a pas oublié les romans de chevalerie de son enfance. Il achète un destrier, se fait faire une armure sur mesure et se joint à l'expédition. Mais dès la première étape, à Spolète, le doute le rattrape. Ses biographes parlent d'un songe étrange qu'il aurait fait ; la vérité est plus simple : il aura éprouvé soudain toute l'inanité de son entreprise. Combattre, mais pour quoi, au bout du compte ? Mourir en héros, et après ? Dès le lendemain, il rebrousse chemin. Vend cheval et haubert. Il ne croit plus aux contes de sa jeunesse, il ne croit plus à l'homme qu'il s'était promis de devenir.

S'ensuit une longue période de doutes, d'atermoiements où François se cherche. Il s'isole souvent dans une grotte à l'écart d'Assise avec un ami dont l'identité nous demeure inconnue. Le genre de confident que rencontrera Christian en la personne d'un jeune dominicain ou d'un militant d'ATD Quart Monde, et dont le rôle fut déterminant sans que je sache en quoi il a consisté exactement. Mais, pour l'un comme pour l'autre, commence à naître l'espoir fébrile d'un changement, d'un secours extérieur, puisqu'ils ne sont plus capables dans leur détresse de s'aider eux-mêmes. Alors oui, Dieu peut-être... La question a dû se poser. Mais croire ne se décide pas. La volonté, face au mystère de Dieu, demeure impuissante. Au contraire, ce n'est pas de soi qu'il faut l'attendre, écrit Pascal, mais en n'attendant plus rien de soi précisément. Sacrifice impossible. Et pourtant François l'a fait, et le miracle s'est produit.

Bien avant l'illumination de San Damiano, bien avant l'Évangile de la Portioncule, il y a eu la rencontre avec le lépreux alors qu'il se promenait dans les environs d'Assise, égaré dans la brume de ses pensées. Son premier mouvement fut de dégoût. Les plaques blanches, la peau qui se détache par lambeaux laissant apparaître la chair vive, la crécelle qu'il agite pour signaler sa présence et éviter ainsi les contaminations. Autant dire un paria, un damné de la terre, le plus bas échelon de l'humanité. On tient alors la lèpre pour un châtiment divin. On traite les malades comme s'ils étaient déjà morts de leur vivant, les confiant à l'Église, où un prêtre, après avoir versé une poignée de terre sur leur crâne en les recommandant à Dieu, les conduit dans une ladrerie à l'écart des zones habitées. Ces hommes, François les a toujours eus en horreur. Mais cette fois il décide de se faire violence et donne l'aumône au malheureux. Puis, touché au plus profond de lui-même par sa décrépitude physique, il accomplit ce geste fou, ce geste insensé, ce geste qui restera dans l'histoire : il l'embrasse. Et le plus déconcertant, c'est qu'il en est inondé de joie. Il éprouve une gratitude infinie pour cet homme. Oui, il y a plus de bonheur à aimer son prochain qu'à idolâtrer sa propre personne; il y a plus de grandeur à se vaincre soi-même qu'à tenter de vaincre et de soumettre les autres; il y a plus de sagesse à accepter le monde dans toute sa beauté et sa souffrance plutôt que de s'insurger en vain contre lui. Voilà la Vérité.

C'est un cataclysme intérieur. Vingt ans plus tard, à l'article de la mort, il commencera son *Testament* ainsi : «Lorsque j'étais dans les péchés, il me semblait extrêmement amer de voir les lépreux. Et le Seigneur lui-même me conduisit parmi eux, et je leur fis miséricorde. Et en m'en allant de chez eux, ce qui me semblait amer fut changé pour moi en douceur de l'âme et du corps ; et après cela, je ne restai que peu de temps et je sortis du siècle. »

22.

Pour François, ce fut le lépreux. Pour Christian, une épiphanie. Mais, pour d'autres, ce fut une musique, une lecture, un geste, un aveu qui les a éblouis et leur a donné à voir Dieu, là où ils ne voyaient rien jusqu'alors. Saint Augustin, Pascal, Charles de Foucauld, Verlaine, Claudel, Péguy, Simone Weil : tant d'exemples de conversions aussi brutales qu'inexplicables, tant de retournements qui attestent l'impossible dans un monde ne postulant que le possible. Hélas, les mots des convertis semblent toujours trop courts à rendre l'éternité de cet instant-là. D'où surgit cette fulgurance ? Pourquoi à ce moment-là ?

Maintenant qu'il me faut écrire ce que Christian a vécu sur cette route d'Espagne, je coince, je recule. Mes phrases ne sont que ratures. Il y a eu la nuit du Barroux dont je pourrais m'inspirer ; mais je serais encore très en deçà de la vérité. À l'inverse de Christian, je ne me suis pas senti appelé par Dieu ; je n'ai pas tout plaqué pour entrer dans les ordres ; et je suis encore très loin de vivre selon les Évangiles. Alors comment a-t-il su, lui ? Qu'a-t-il senti exactement ?

Après avoir longtemps cherché, j'ai cru tenir la réponse en découvrant, dans les archives de *Sud-Ouest*, un portrait qui lui était consacré : «L'autre vie de Christian. Une aventure et une conversion humaine hors du commun».

À l'époque, il est gardien de la communauté franciscaine de Bordeaux, et une journaliste décide de lui consacrer une pleine page, fascinée par son histoire, dont elle a eu vent par hasard. Elle revient brièvement, au début du portrait, sur ses années dans le commerce et la mode, les voyages et les fêtes, puis relate le moment où sa vie a brusquement basculé sur cette route d'Espagne : «Il m'est arrivé ce qui est arrivé à saint Paul, raconte simplement Christian de Montaigu. À un moment, j'arrête la voiture, et tout à coup j'ai la certitude de ne jamais avoir été autant aimé. Ça a été très violent, aussi lourd que du plomb, aussi fluide que de l'eau. C'était entre Madrid et Saragosse. Une expérience tout à fait exceptionnelle. J'ai repris le volant. Je n'étais plus comme avant. En trente secondes, j'ai fait un virage à cent quatre-vingts degrés. C'était un tremblement de terre, un bouleversement radical.»

Le plomb, l'eau, un tremblement de terre, mais surtout saint Paul, le récit le plus célèbre de conversion. Le premier d'entre tous. L'origine de la grâce. C'est là qu'il me faut revenir. Aux Actes des apôtres.

Saul est un juif pharisien qui persécute les chrétiens. Un jour, le grand prêtre l'envoie à Damas avec pour mission de capturer et de ramener à Jérusalem tous les adeptes de cette nouvelle secte. Saul se met en route et, soudain, au milieu de son voyage, une lueur venue du ciel s'abat sur lui. Il tombe de cheval et entend une voix : «Saul, Saul, pourquoi me persécutes-tu?» Saul demande qui s'adresse à lui ainsi. «Je suis Jésus, celui que tu persécutes. Pars dans la ville, et là il te sera dit ce que tu dois faire.» Ses compagnons le regardent, abasourdis. L'auteur des Actes des apôtres précise que ces derniers ont entendu la voix mais n'ont aperçu personne. On relève Saul : il ne voit plus rien. Il est devenu aveugle. Et pourtant il a les yeux ouverts.

Le problème de ce récit, c'est son côté hollywoodien. Pour Christian, pas de voix, pas de chute, pas de regard brusquement plongé dans le noir... Et je devine qu'aucune interview au monde ne pourra restituer l'intensité de cette déflagration intérieure. Car Dieu précisément commence là où s'arrêtent les mots. Il est la dernière parole que l'homme puisse prononcer, celle au-delà de laquelle la conscience ne peut plus s'aventurer. Il est cette syllabe par laquelle le monde commence et se referme. On peut parler de cosmos ou d'esprits ou d'énergie vitale, comme on voudra, ce sera toujours le rabaisser. L'affadir. Le ramener aux limites de ce que la raison peut entendre. Hélas, cette sublime machinerie qu'est le cerveau humain ne sera toujours qu'un peu de poussière d'étoile en comparaison de l'immensité de la nuit sidérale.

Si j'ai appris quelque chose depuis que j'ai entrepris ce chemin spirituel, c'est qu'il existe des vérités qui se situent au-delà de la raison. Des vérités qu'on ne peut saisir qu'avec le cœur – ou l'intuition, si l'on préfère. Rien ne justifie, du point de vue de l'évolution, de donner l'aumône à un clochard, et pourtant... Rien ne justifie le sacrifice de sa vie pour sauver celles d'innocents, et pourtant... Rien ne justifie l'extase que l'on ressent devant un coucher de soleil ou à l'écoute d'un nocturne de Chopin, ni les règles fondamentales de la physique qui préexistent à l'univers, car il aurait suffi d'une infime variation de celles-ci pour que notre monde n'existât point. Et pourtant... La charité, l'amour, la beauté, l'harmonie universelle, autant de miracles qui chaque jour à chaque heure se reproduisent, et demeurent ignorés. Et parmi ces miracles, le plus grand de tous peut-être, la grâce. Cette possibilité inouïe d'un contact charnel avec Dieu.

Mais comment en témoigner? Est-ce que les miracles peuvent s'écrire? Là est toute la question de ce livre. Car ce n'est pas seulement la révélation de Christian dont je cherche des preuves ici, c'est la mienne aussi. Si souvent le doute m'accable, si souvent le tribunal de la raison me convoque, et quelles pièces à conviction lui offrir sinon ma parole. Parole si faible, si incertaine, qui voudrait donner chair à l'invisible, qui voudrait se rappeler ce pur moment d'oubli, qui voudrait continuer de croire à l'incroyable. Qu'elle y échoue et ce sera la nuit de nouveau.

23.

Margarita me dit souvent de remettre mon livre dans les mains de Dieu. *En las manos de Dios.* Ce n'est peut-être pas la technique d'écriture la plus efficace. Car Dieu, je peux le dire maintenant que je le connais un peu, est un jean-foutre. J'ai passé des semaines sans avancer d'une ligne, me concentrant sur des travaux alimentaires et ma seconde balle de service au tennis. Avec de maigres résultats, vu les crises de doubles fautes dont je suis victime, mais c'est toujours mieux que de se fracasser la tête contre le mur en réfléchissant à l'eschatologie chrétienne.

Et voilà qu'au milieu de ces jours gris et vides, je reçois un coup de fil de ma mère : mon frère ne va pas bien du tout. Elle vient de lui rendre visite à New York et ne sait plus quoi faire. Il a plaqué du jour au lendemain son boulot – un gros poste dans la publicité qui l'obligeait à travailler samedis et dimanches et à voyager aux quatre coins du globe – et passe désormais ses journées, allongé dans son canapé, à ruminer des idées noires : il ne comprend pas ce qui lui est arrivé ; il s'en veut d'avoir craqué, d'autant plus qu'il a une femme et une petite fille qu'il aime, une existence dont beaucoup rêveraient, alors pourquoi a-t-il tout foutu en l'air ?

Ma mère a du mal à comprendre. Moi non, car j'ai grandi avec lui et j'ai l'impression d'être passé par là aussi. Je sais, pour lui avoir parlé plusieurs fois au téléphone, que c'est bien plus qu'un simple burn-out ou qu'un baby blues dont sont victimes certains jeunes pères, c'est un mal plus ancien et plus profond : il a cru toute sa vie pouvoir être quelqu'un qu'il n'était pas, et ce quelqu'un vient de mourir, le laissant seul et anéanti... Toute sa vie, il s'est imaginé comme un jeune loup indestructible, glanant succès et conquêtes avec une facilité insolente. À ma manière, j'ai été l'un de ceux-là, et si mon frère s'est choisi de venger les échecs de notre père dans les affaires, de mon côté, je me suis efforcé de vivre à la hauteur du nom que portait ma mère et dont elle se faisait une fierté sans toujours la pouvoir justifier. Nous voulions ressembler à ces êtres beaux et riches et brillants que nos parents fréquentaient, et dont ils préféraient trop souvent la présence à la nôtre. Nous voulions être complimentés et admirés par eux, car c'est ainsi qu'ils savaient le mieux aimer, c'est ainsi qu'ils voulaient qu'on les traite. Cette haute idée qu'ils se faisaient d'eux-mêmes, nous y aspirions en retour. Et tant pis si cet orgueil ne reposait pas sur grand-chose, mon frère et moi, nous réussirions. Nous leur donnerions raison. Nous aurions un destin d'exception. Puériles ambitions dont nous aurions fatalement à faire le deuil.

Alors, avant même que ma mère me le demande, je dis oui. Je vais partir là-bas voir mon frère. Essayer de l'aider comme je peux. Si j'ai un tant soit peu la foi, c'est maintenant qu'il me faut la mettre en action. Je dis oui, bien sûr, et trois jours plus tard je suis dans l'avion.

Durant une semaine, la même scène va se reproduire encore et encore : mon frère est étendu sur son canapé, terrassé par l'angoisse, tandis que je me tiens dans un fauteuil face à lui. Dehors, c'est l'hiver. D'immenses congères bordent les rues de Soho et le ciel a une couleur de lait tourné. En face, un voisin a collé une pancarte «Trump!» à sa fenêtre, et je propose d'aller sonner à l'étage d'au-dessus pour y mettre «Fuck», mais ça ne fait pas rire mon frère. La neige tombe à gros flocons. En bas de l'immeuble, devant l'entrée du Holland Tunnel, les voitures toussent sans avancer d'un centimètre. Chaque jour, en arrivant, j'ai l'impression qu'elles en sont au même point que la veille. Et c'est un peu ce qui se passe entre nous deux. Chaque jour le même dialogue recommence. Il s'en veut, il se méprise, il pense avoir raté sa vie, et j'essaie de le rassurer : ça devait lui arriver, il ne pouvait pas continuer à ce rythme, il allait droit dans le mur, cette crise, ça va le faire mûrir, il va prendre du temps pour lui et découvrir ce dont il a vraiment envie, forcément quelque chose de bien en sortira.

Ça marche un instant, il semble reprendre espoir et puis d'un coup il replonge comme s'il ne pouvait cesser de gratter une plaie invisible. Écoute, je lui dis, c'est fait, ça ne sert à rien de continuer à te punir, ça ne sert à rien de te projeter dans l'avenir car personne ne sait de quoi il sera fait, alors pourquoi t'angoisser. Tout ira bien. Jésus dit dans saint Luc :

Regarde les oiseaux du ciel, ils ne sèment pas, ils ne font pas de moisson, ils n'ont pas de caves ni de greniers et pourtant Dieu les nourrit tous les jours; regarde les lis, ils ne filent pas, ils ne travaillent pas, et pourtant Salomon lui-même dans toute sa splendeur n'a jamais été vêtu comme eux; qui de nous par ses inquiétudes peut rallonger d'un seul jour la durée de sa vie?

Évidemment, Jésus et saint Luc, ça lui passe au-dessus de la tête. Il voudrait simplement que tout redevienne comme avant. Comment j'ai pu en arriver là? il me demande. J'avais tout pour moi et regarde maintenant, je passe mes journées sur ce canap à zoner comme un crevard, je suis même pas foutu de me cuisiner un plat, alors comment veux-tu que je m'en sorte? Je lui répète tous les petits trucs qui m'ont aidé à reprendre pied quand je me sentais tomber : ne pas penser au-delà du jour qui se couche, ne pas se comparer aux autres, essayer de vivre simplement dans le présent en tâchant de trouver le goût des plaisirs minuscules, la sensation de l'eau ruisselant sur le crâne pendant la douche, le goût amer du café adouci par la tendresse d'un chocolat, les flocons de neige ciselés, pareils à de la dentelle se posant sur la vitre avant de disparaître comme par enchantement. Et puis l'art, aussi...

Pourquoi, entre tous les musées de New York, choisissons-nous la Frick Collection ce jour-là? Je ne sais pas. Certains diront le hasard. Mais, Einstein l'a écrit, le hasard, c'est Dieu qui se promène incognito.

Il fait un froid glacial. Nous voilà en route, mon frère et moi, couverts comme pour escalader l'Himalaya. Sauf que j'ai eu la brillante idée de n'emporter qu'une paire de Stan Smith dans ma valise et de jolis gants en pécari achetés à Buenos Aires qui me donnent l'impression d'avoir des stalactites à la place des doigts. Et là-dessus le pompon : la moitié de New York s'est réveillée avec la même idée que nous et fait la queue sur le trottoir devant la Frick. Tous ces martyrs de l'art, qui trépignent et soufflent dans leurs mains, à moitié congelés, c'est trop pour moi. Je dis à mon frère : tant pis, laissons tomber, on va se trouver un endroit au chaud et se commander un café brûlant, ça fait cinq cents ans qu'existe Vermeer, il peut bien nous attendre un peu... Ça doit être le moment où Dieu entre à la Frick, car la file se met en branle comme par miracle et, en moins de cinq minutes, nous sommes à l'intérieur du musée.

À présent je le sais : toutes ces heures douloureuses passées en compagnie de mon frère devaient nous conduire à cet instant-là. Celui où nous sommes tombés nez à nez avec Christian.

Il se tenait là, dans la salle de réception de M. Frick, au milieu des lambris et des chinoiseries en porcelaine laquée, mais je ne l'ai pas vu tout de suite. Il y avait une grande toile du Greco sur un mur et, de chaque côté, de lourdes consoles aux fioritures de cuivre. Par une fenêtre, le jour diffusait une lumière pâle. On apercevait, au-delà du petit jardin, la Cinquième Avenue et Central Park. Je me suis retourné et je l'ai aussitôt reconnu : sa robe de bure, son imposante stature et son visage qui irradiait, tourné vers le ciel comme s'il venait d'apercevoir quelque chose qui l'avait foudroyé. Oui, c'était bien lui sur cette route d'Espagne, au moment où il était sorti de la voiture et où il avait ressenti au plus profond de son âme l'appel de Dieu. Le corps figé, les mains ouvertes, la bouche bée, anéanti par cette vision. Mais quand on suivait son regard, on ne voyait rien d'autre que de minces rayons de soleil et les frondaisons d'un laurier. Le monde autour de lui semblait inchangé. Une ville fortifiée se dessinait sur une colline, un berger promenait ses brebis dans le lointain tandis qu'à quelques mètres se tenaient un âne et un héron cendré, complètement étrangers au bouleversement qui se produisait en lui.

Ni mon frère ni moi ne disions rien. Je lui avais parlé de la conversion de Christian sur cette route d'Espagne et de ma propre révélation du Barroux, mais, comme beaucoup d'autres, il ne m'avait pas trouvé très convaincant. Les mots ne parvenaient pas à rendre le mystère de cet instant, les mots étaient toujours impuissants, et là soudain... Il n'y avait rien de surnaturel pourtant, rien d'ostentatoire; rien de comparable au tableau du Caravage sur la conversion de saint Paul où l'apôtre apparaît sur le chemin de Damas, renversé de cheval et crucifié au sol par une spectaculaire colonne de lumière. Cette fois, la source de lumière est hors du tableau, un rayonnement presque imperceptible qui se déploie en fins rayons de soleil relevés de vermillon et qui traverse comme en transparence le ciel d'outremer. Un vent de lumière qui chasse les lambeaux blancs des nuages et fait ployer les branches du laurier, balayant, par un effet de glacis, le reste de la scène. À tel point que la ville fortifiée dans l'arrière-fond et le drapé de la robe de Christian et l'enchevêtrement des rochers derrière lui semblent faits de la même matière irradiante.

Comme si Dieu se trouvait là, derrière toute chose sans qu'on puisse l'apercevoir.

Et soudain Christian le comprend. Il est terrassé par la grâce et s'abandonne tout entier à cette puissance supérieure qui infuse le monde entier tout en demeurant en dehors. Hors du cadre et pourtant au cœur de la toile. Alors je m'approche du cartel pour lire :

« Giovanni Bellini.
L'Extase de saint François. »

Aujourd'hui, mon frère va beaucoup mieux. Il a un nouveau travail, un second enfant, il est désormais en paix avec lui-même, et j'aime à croire que ce tableau y est pour quelque chose. Il n'a pas été touché par la grâce, il ne s'est pas soudain mis à croire, mais il a trouvé en lui cette simplicité, cette humilité, cet abandon qui illuminaient le visage de Christian dans la salle de la Frick Collection. Il a deviné, grâce à lui, qu'il faut parfois faire le deuil du bonheur pour être heureux. Il faut parfois abandonner l'idée de jouer un rôle à tout prix pour trouver enfin le sien. Il faut parfois ne rien réclamer à l'existence pour que tout nous soit offert par surcroît. Il faut parfois fermer les yeux pour que vienne la lumière.

Christian, à l'instant précis où Dieu lui est apparu, s'est senti détruit. Il a consenti soudain à n'être plus rien, et, au moment où il s'est cru perdu, il a été retrouvé. Au moment où il s'effondrait, il a été relevé. Au moment où il mourait à lui-même, il a commencé à revivre. Acte de confiance absolue. Acte qui décide d'une vie.

C'est quand tout s'achève que tout commence.

Troisième partie

24.

Toujours dans ce même article de *Sud-Ouest*, Christian évoque, peu après sa révélation, un voyage à Medjugorje. Un petit village de Bosnie-Herzégovine connu pour être un lieu de pèlerinage marial.

« C'est là que j'ai décidé de devenir franciscain. »

Une ligne, rien de plus.

Quand j'ai interrogé ses proches à ce propos, ils se sont montrés tout aussi laconiques. Oui, il était revenu transfiguré de son séjour. Il disait avoir enfin trouvé sa voie. Mais ce qu'il avait vu là-bas, ce qu'il s'était passé, personne ne le savait. Aucune lettre, aucun témoin direct. Même à ses frères de foi, il ne s'était jamais confié.

Pourtant, entre la route d'Espagne et Medjugorje, Christian s'est trouvé confronté à une question capitale. Le même dilemme qui se pose à moi aujourd'hui : que faire de cette révélation ? Ou pour le dire dans les termes d'un croyant : qu'est-ce que Dieu veut de moi ?

Je me désespère parfois à l'idée d'avoir si peu changé. De retomber dans mes vieux travers. D'en faire trop peu.

Le dimanche, je traîne mes enfants à la messe à Nuestra Señora de Montserrat en négociant une glace au *dulce de leche* en échange. Tadzio joue avec ses cartes Pokémon posées sur sa chaise, dos au prêtre. Paloma me demande les paroles des chants sans que je puisse lui répondre. Des touristes chinois, à l'entrée de la nef, prennent des photos, enchantés par l'architecture coloniale de l'église. J'essaie de me recueillir, mais un clochard, allongé deux rangées plus loin, dégage une odeur pestilentielle. Il s'appelle José et fait souvent la manche à la sortie. Caché à l'intérieur de sa bible qu'il feint de lire avec application, un vieux smartphone au verre brisé sur lequel il joue à Candy Crush...

Voilà ma pratique. Sans oublier les retraites dans les monastères où je passe mon temps dans ma cellule à lire et à écrire, sautant les offices; les vagues tentatives de jeûne rompues au milieu de la nuit par des orgies de céréales Cruesli au chocolat; de brusques élans d'amour christique qui me poussent, au retour d'une soirée arrosée, à inviter un gamin d'une *villa* à dormir chez moi avant de découvrir qu'il m'a subtilisé mon portefeuille en chemin.

Si seulement j'avais quelqu'un avec qui échanger, en dehors des auteurs morts que je lis... Ma femme, elle, a plutôt bien pris ma conversion. Elle préfère de loin Jésus-Christ aux hurluberlus avec qui je sortais jusqu'à cinq heures du matin, rentrant dans des états seconds. Mais dès que je m'échauffe trop au sujet de Dieu, dès que j'évoque sa présence ici-bas dans le galop moiré d'un cheval, dans l'œil blanc de la lune suspendue au-dessus de la pampa, dans la simple pression des doigts sur l'infini noir et blanc d'un piano, elle prend peur.

«Dis donc, tu ne vas pas me faire le coup d'entrer dans les ordres, quand même?»

Non, je ne m'y risquerai pas. Voilà pourquoi le choix de Christian ne cesse de me sidérer. Entrer chez les Franciscains et faire vœu de pauvreté. Aller dans les quartiers difficiles et s'occuper de tous les rebuts de la société. Renoncer à tout amour, à toute famille, à tout avenir…

Quitte à épouser Dieu, il pouvait se faire prêtre diocésain et conserver un certain confort de vie. Ou opter pour les Jésuites ou les Dominicains, ordres réputés plus intellectuels et plus prestigieux. Mais frocard! Frère mendiant! Tout le monde autour de lui était tombé sur le cul. Encore aujourd'hui, sa famille peine à se l'expliquer. Sa passion pour saint François, sa sensibilité aux plus faibles et aux plus démunis, d'accord, mais Christian traînait quand même tout un tas de casseroles. Il aimait sortir, il avait des goûts d'esthète, il avait fait des études et voyagé à travers le monde, ce qui n'était pas le cas des autres franciscains, issus le plus souvent de familles modestes et ayant pris la robe au sortir de l'adolescence. Qu'est-ce qui a pu le pousser à un choix aussi radical?

Je suis parti pour Medjugorje. Sur ses traces.

25.

J'avais imaginé un pèlerinage comme une longue route de campagne au sol blanchi de poussière où des hommes et des femmes cheminaient seuls, un bâton à la main, au milieu du gazouillement des oiseaux, faisant halte dans des auberges où ils partageaient fraternellement le pain et le vin avant de repartir dès l'aube, insensibles au soleil et à la pluie, à la fatigue et aux kilomètres, le regard lumineux tourné vers l'horizon, comme déjà en route vers l'au-delà.

Je me suis trouvé coincé dans un car brinquebalant, au milieu d'une trentaine d'Antillais et de retraités blancs au bord de la tombe, à réciter à tue-tête le chapelet ou le rosaire, *Je vous salue Marie pleine de grâce, le Seigneur est avec vous*, six, sept fois de suite, avant d'enchaîner sur d'autres prières, d'autres chants en français ou en croate, à la gloire de la Gospa, la mère de Dieu, dont je tâchais de mimer les paroles avec les lèvres de crainte de passer pour un imposteur ou un hérétique, et quand le silence retombait enfin et que je m'abîmais avec soulagement dans le paysage, un prêtre, venu du Bénin, prenait le micro et nous enjoignait à méditer sur les mystères glorieux ou douloureux avec le même entrain mécanique qu'un guide touristique...

Dans de pareils moments, je me demandais si j'avais bien fait de devenir chrétien.

Comme tout le monde, j'avais entendu parler de Lourdes, de Fatima, de tous ces lieux où la Vierge était apparue par le passé. Mais qu'elle apparaisse encore de nos jours, provoquant conversions, miracles et guérisons, cela me paraissait de la science-fiction. Comme ces types qui prétendent voir des soucoupes volantes dans le ciel et sont intarissables sur la vie extraterrestre. Il y a quelques années, j'en avais rencontré un à Cachi, un village perché sur les hauts plateaux du nord de l'Argentine. Il avait filmé sur son portable des mouvements de lumières étranges dans la nuit – sans doute des avions de narcos volant à très basse altitude pour ne pas se faire repérer. Un fou, j'avais tranché...

Sauf que, à Medjugorje, il ne s'agissait pas d'un individu isolé. C'étaient deux millions de pèlerins qui visitaient chaque année le sanctuaire marial et croyaient dur comme fer à l'histoire des deux adolescentes qui, un jour de juin 1981, au retour d'une promenade sur le mont Podbrdo, avaient aperçu à son sommet une figure de femme pâle et évanescente. La Vierge! s'étaient-elles écriées avant de s'enfuir. Le soir même, puis le lendemain matin, elles y étaient retournées, accompagnées d'autres gamins du village. Chaque fois, la mystérieuse femme les attendait en haut de la colline. Alors les enfants s'étaient enhardis. «Qui es-tu?», lui avaient-ils demandé. «Je suis la Vierge Marie.» «Et pourquoi es-tu là?» «Je viens ici parce qu'il y a des gens très pieux et je viens pour convertir et réconcilier le monde entier.»

Depuis ce jour, Marie n'a jamais cessé de s'adresser à ces six jeunes villageois pour leur délivrer des messages où il est question de paix et d'amour. Quarante ans que ça dure. Les communistes ont bien essayé d'y mettre un frein au début. Ils ont soumis les six voyants, âgés de neuf à seize ans, au détecteur de mensonges, les ont interrogés sous hypnose, leur ont fait passer des tests psychiatriques. Rien. Ils les ont poursuivis lorsqu'ils tentaient de gravir le mont Podbrdo, ils ont menacé et espionné leurs familles. En vain. Ils ont jeté en prison le père Jozo qui les protégeait, ils ont obligé l'évêque de Mostar à les condamner et à dénoncer un complot contre-révolutionnaire. La Vierge a continué d'apparaître à Medjugorje et les enfants à rapporter ses paroles aux habitants du village, puis aux pèlerins venus d'un peu partout dans le monde, des paroles retransmises chaque jour à la radio ou sur Internet, dans lesquelles elle invite les hommes et les femmes à la prière et au pardon, à l'humilité et à la lecture des Évangiles, au jeûne et au rapprochement avec les autres religions. «Je vous remercie», a-t-elle coutume de conclure ses adresses.

Les critiques n'ont pas manqué évidemment, et je le comprends. Beaucoup d'éléments font tiquer dans cette histoire. Il y a le fait que la Vierge, très vite, a commencé à se montrer en différents endroits, selon que les enfants s'y trouvaient ou pas ; il y a aussi les dix secrets dont elle les a instruits au fil des années et qu'ils devront, le jour venu, révéler à toute l'humanité. Mais le plus aberrant peut-être, c'est la manière dont elle apparaît encore aujourd'hui à chacun des six élus. Pour Vicka, c'est tous les jours, à 18 h 40, après la prière du chapelet. Pour Marija et Ivan *idem*, sauf que l'une réside désormais à Monza, en Italie, et l'autre à Boston. Quant aux trois autres, auxquels ont déjà été révélés les fameux dix secrets, Marie ne les visite plus qu'une fois par an – le jour de Noël pour Jakov, le 18 mars pour Mirjana et le 25 juin, jour anniversaire des apparitions, pour Ivanka. Un vrai coucou suisse, la Vierge Marie !

Les prières se sont interrompues brusquement à bord du car ; on venait d'entrer dans Medjugorje. Une longue rue à double sens débouchant sur une église sans charme, construite dans les années 1960. De chaque côté, des cafés, des restaurants, des boutiques de souvenirs bourrées jusqu'aux bouches d'aération de chapelets et d'images saintes et de livres de prières et de statuettes de la Vierge et autres bondieuseries aux couleurs sucrées. Derrière, des pensions de famille et des hôtels bon marché avaient surgi de terre dans la plus complète anarchie, le plus souvent des parallélépipèdes sommaires à trois ou quatre étages. Quant au parvis de l'église et aux terrasses, ils étaient encombrés d'une foule de pèlerins brésiliens et libanais, polonais et sud-coréens, australiens et italiens, reconnaissables aux drapeaux que les guides, casquettes au ras du front, agitaient en tête des groupes.

Rien à voir avec le petit village qu'avait connu Christian, entouré de vignes et de champs de tabac, de sentiers grignotés d'herbes folles et de maisonnettes aux faux airs de chalets où les autochtones logeaient gratuitement les pèlerins et ouvraient leur table, chacun se relayant pour éplucher les pommes de terre ou aller puiser l'eau du puits voisin. À cette époque, chacun pouvait encore approcher les voyants, à peine âgés de vingt ans, et avait la chance parfois d'être invité dans leur maison ou leur jardin pour discuter et prier ensemble comme si tous étaient revenus au temps des premières églises de Jérusalem.

J'ai quitté avec soulagement mes voisins de car pour me fondre dans un autre groupe, guidé par un frère franciscain. C'était le provincial de l'ordre, sis rue Marie-Rose à Paris, qui me l'avait recommandé. Frère Boris connaissait Medjugorje comme personne pour être né et avoir grandi à quelques kilomètres. Il vivait désormais au couvent de Marseille mais faisait de fréquents séjours sur place, s'occupant notamment de la pastorale ou de l'accueil des pèlerins. Si quelqu'un savait ce qui était arrivé à Christian lors de son voyage, c'était lui.

À mon arrivée à la pension, tous étaient déjà à table pour le dîner. On m'a glissé une chaise et une assiette. Un verre de rouge du cru avec un nom plein de consonnes qui donnait mal au crâne rien que de l'épeler. Il y avait là des jeunes et des vieux, des groupes de copines et des hommes seuls. L'une travaillait comme aide-soignante, un autre était ingénieur informatique, un troisième retraité de l'Éducation nationale. Une femme atteinte d'une sclérose en plaques était venue accompagnée de ses deux enfants adoptés, de seize et dix ans, qui la poussaient à tour de rôle dans son fauteuil roulant et s'occupaient d'elle avec une patience prodigieuse. Mon voisin d'en face, un garçon de vingt-quatre ans, m'a raconté comment il avait guéri de sa boulimie et de son addiction aux jeux vidéo ici, grâce à la prière et à la confession. Boris, lui, était très sollicité. J'ai attendu que les dîneurs regagnent peu à peu leurs chambres à l'étage pour m'asseoir à côté de lui. Avec son collier de barbe et son sourire goguenard, il me faisait penser à Robert Hue, l'ancien leader du parti communiste, mais un Robert Hue avec une robe de bure et une grosse croix franciscaine sur la poitrine, ce qui était assez amusant à imaginer comme reconversion. Hélas, il n'avait pas grand-chose à me dire sur Christian. Il l'avait très peu connu et n'avait jamais eu l'occasion de parler de Medjugorje avec lui. Il avait eu vent d'un incident en revanche. Il y a des années, Christian avait évoqué Medjugorje devant ses frères et en particulier une histoire qui l'avait beaucoup frappé : durant la guerre, des pilotes serbes disaient avoir été victimes d'un phénomène étrange ; chaque fois qu'ils approchaient de Medjugorje, leur vision commençait à se brouiller, ils ne parvenaient plus à localiser leur cible depuis le cockpit et finissaient par faire demi-tour. Durant deux ans, aucune bombe n'était tombée sur le village. L'anecdote avait fait bondir les frères. «Alors comme ça, les autres sont tués et ceux qui sont à Medjugorje sont épargnés, c'est ça?»

Christian n'avait plus osé remettre le sujet sur la table. En France, c'est encore une question qui fâche. Le Vatican n'a jamais reconnu les apparitions. Inutile de monter la tête des gens avec ça – soit on risque de les braquer, soit on leur donne à croire pour de mauvaises raisons. Christian l'avait compris. Ce qu'il avait vécu à Medjugorje, mieux valait le garder pour lui.

«Mais toi, Boris, tu viens bien ici? me suis-je étonné. Tu accompagnes des groupes de pèlerins?

— Moi, c'est différent. Je suis né dans la région. Ma famille a toujours été croyante. Quand les apparitions ont commencé, ça a été quelque chose de très fort pour nous. Les franciscains, qui étaient en charge de la paroisse, n'ont pas essayé de faire taire les enfants. Ils les ont protégés pour qu'ils continuent à prier la Vierge. Il fallait voir leurs visages quand elle s'adressait à eux! Ils étaient transfigurés. Ils ne clignaient plus des yeux pendant des dizaines de secondes. Je n'avais jamais vu ça. C'est comme s'ils étaient dans un état modifié de conscience.

— Et tu crois que je pourrais les rencontrer?

— C'est compliqué, il y a beaucoup de monde l'été. Parfois Mirjana laisse entrer une poignée de pèlerins dans sa maison pendant la prière du chapelet. Vicka, elle, est malade et n'apparaît plus en public. Quant à Ivan, il vit à l'étranger; on ne sait jamais quand il sera là. Mais ce n'est pas le plus important ici, tu sais.

— Alors qu'est-ce qui est le plus important?

— Ça dépend. Chacun est touché à sa manière. Chacun en rapporte quelque chose de différent. Il suffit de se laisser porter. Tu verras, Marie viendra à toi.»

Très bien, je me dis. Marie viendra à moi. Je vais me laisser porter. Et dans les jours qui suivent je me plie sans rechigner au programme du groupe : j'assiste à la messe internationale en plein air dont chacun écoute la traduction en simultané sur la radio de son smartphone et je me rends chaque soir dans l'église bondée pour l'adoration du saint-sacrement; je jeûne le vendredi au pain et à l'eau, et je parcours en plein cagnard le chemin de croix sur la colline de Križevac, m'arrêtant pour prier aux quatorze stations, de la condamnation de Jésus à sa mise au tombeau; je visite le Cenacolo, une structure fondée par sœur Elvira pour accueillir les alcooliques et les jeunes toxicomanes, et j'écoute une conférence de sœur Emmanuel qui, après une adolescence déglinguée, a trouvé refuge ici dans la communauté des Béatitudes; je me lève à quatre heures du matin afin de participer à la marche pour la paix, une procession de plusieurs heures en souvenir du convoi de pèlerins parvenu à Medjugorje en pleine guerre de Yougoslavie alors que la zone était inaccessible, et je finis par aller me confesser à un prêtre africain assis sur une chaise au soleil contre le mur de l'église, et qui pour unique réparation à mes innombrables péchés – vingt ans de débauches et de cachotteries résumées en une minute – me demande de réciter un Notre Père. Mais nulle part je n'ai rencontré la Gospa. Nulle part je n'ai trouvé ce qui avait pu bouleverser Christian. La ferveur des pèlerins? Les malades en chaise ou les vieillards à canne irradiant de joie? Toutes les communautés de religieux et les associations caritatives accueillant des victimes de guerre et des orphelins et des jeunes en rupture de ban? Peut-être. Mais que penser de la goutte d'eau qui coule nuit et jour, été comme hiver, de la cuisse d'un Christ en bronze de dix mètres de haut, alors que le reste du corps demeure parfaitement sec, et dont les fidèles, imbibent leurs mouchoirs en papier ou leurs châles en laine ou leurs chapelets, allant même jusqu'à s'en barbouiller le visage et à embrasser la jambe à pleine bouche ? Ou encore des histoires que mes compagnons de voyage me confient avec le plus grand sérieux : Untel a aperçu une auréole au-dessus de la colline du Podbrdo ; telle autre a découvert la Vierge dans la forme d'un nuage comme elle me le montrera sur son portable ; un grand-père, en train de prier devant la statue de la Gospa dans l'espoir que sa fille guérisse, a vu soudain des tuiles protégeant le socle se fracasser et un arc-en-ciel apparaître, signe de sa future guérison ; pour une ancienne hôtesse de l'air d'Air France, Marie est présente chaque jour en pensée et la conseille, même quand il s'agit de choisir quelle quantité de vaisselle mettre dans la machine ! Je ne peux pas croire que Christian versait dans ces balivernes. Alors oui, il avait été touché par cette histoire des pilotes serbes dont la vue se troublait à l'approche de Medjugorje, mais après tout, le village avait été miraculeusement épargné pendant la guerre, c'est un fait. On ne peut pas le nier. Tandis que ces récits de pluies d'étoiles ou de croix suspendues dans le ciel ou de voiles pareils à des fantômes qu'on retrouve dans tant de livres, avec parfois, à l'appui, des photos grossières ou de mauvaise qualité, pitié. Je ne peux croire que c'est ça, Medjugorje.

Boris vient me trouver : Ivan est ici, il va y avoir une apparition sur le Podbrdo vers dix heures du soir, mais avec l'orage qui s'annonce il ne sera pas aisé de grimper au sommet, à toi de voir. À mes yeux, ça ne fait pas de doute : c'est la Vierge qui vient enfin à moi. J'enfile mon anorak et prends la direction du Podbrdo.

Au pied de la colline, il pleut à grosses gouttes et, par endroits, le sol est déjà boueux. La côte est raide.

Partout des roches escarpées et glissantes. Je dépasse plusieurs vieillards essoufflés, des femmes avec des béquilles, d'autres invalides qu'on hisse à plusieurs. Quelle foi faut-il pour les porter là-haut. D'autant qu'on ne voit rien; le chemin n'est pas balisé; on se contente d'éviter les arbustes et les halliers et de suivre ceux qui nous précèdent.

Au sommet, une grande aire avec, en son centre, une statue de la Vierge. Plusieurs pèlerins sont déjà massés autour. Certains prient à genoux contre la grille qui la protège. Les autres sont assis sur des affleurements rocheux. Ils portent des K-Way ou des sacs-poubelles troués à l'encolure et aux manches. Deux jeunes Croates, guitare en main, chantent des airs repris en chœur par la foule. On dirait un festival de rock à l'ancienne, sauf que la guest-star qu'ils attendent tous, c'est la mère de Dieu en personne.

D'autres arrivent, toujours plus nombreux. Des enfants avec leurs parents, des amoureux main dans la main, des groupes de Sud-Américains, tous en file indienne. Je repère même deux moines orthodoxes tout droit sortis d'un film de Tarkovski. On se les pèle. La pluie redouble. Mon jean me colle aux cuisses. Je sens l'humidité s'infiltrer sous mon K-Way et imbiber mes vêtements. Un début d'onglée gagne mes extrémités. Mes chaussettes sont des serpillières. Pas un arbre sous lequel se réfugier. Les pèlerins, eux, endurent l'averse sans sourciller. Soudain, quelque part devant moi, un ampli se met à grésiller, et un homme commence à réciter des prières en croate. Le chapelet ou le rosaire, je ne sais toujours pas la différence. Je cherche Ivan du regard. Les récitations n'en finissent pas.

Est-ce pour préparer l'apparition de Marie? Comme une manière de méditation où l'on se détache et entre peu à peu en soi-même? Brusquement la voix s'arrête. Les gens aux premiers rangs se lèvent. Je les imite mais ils me bouchent la vue. Des têtes encapuchées et des couronnes de parapluies dégoulinant de pluie. Dans l'ampli, quelqu'un lance : «*Apparizione! Apparizione!*» Puis rien. Le silence. Le martèlement des gouttes. Pas le moindre mouvement. Je me dis : la Vierge est peut-être là, à quelques mètres de moi, et pourtant je ne vois rien, je ne sens rien, le paysage demeure le même, les arbres, les roches, j'ai les membres glacés de pluie. Puis la voix résonne de nouveau dans l'ampli, après de longues minutes, et je comprends que c'est terminé. La mère de Dieu s'en est allée.

26.

En descendant du Podbrdo, pour la première fois depuis longtemps, j'ai repensé à Ligonnès.

La découverte de Dieu m'avait guéri de mon obsession morbide pour ce fait divers. Un bourgeois ruiné, s'enferrant dans ses mensonges, qui avait supprimé les siens plutôt que d'affronter leur colère et leur honte : voilà à quoi il se résumait. Et pourtant, son destin aurait pu s'écrire autrement s'il n'avait été le témoin d'un événement qui avait détruit sa foi à jamais...

À l'époque, il a trente-cinq ans déjà. Depuis de longues années, sa mère prétend recevoir des messages de l'au-delà et a constitué autour d'elle un petit groupe de prière baptisé Église de Philadelphie. D'après elle, la fin des temps est proche, Satan est déjà à l'œuvre, les éléments vont se déchaîner et beaucoup périront, quant à ceux qui ont été fidèles à Dieu, comme eux, ils seront rappelés aux cieux et connaîtront une vie nouvelle. Des prophéties apocalyptiques auxquelles Ligonnès, depuis l'enfance, croit aussi aveuglément qu'à deux et deux font quatre. Il a l'habitude d'accompagner sa mère en pèlerinage sur les lieux d'apparition mariale comme Lourdes, San Damiano ou encore

Kerizinen où, selon le même schéma qu'à Medjugorje, une jeune fille a été visitée par Marie avant qu'une série de phénomènes inexpliqués se produisent dans le village – guérisons, source miraculeuse, danse du soleil...

Sa mère en est certaine : Kerizinen tout comme le miracle de Saint-Christ-Briost – des épanchements de sang et l'apparition d'une hostie blanche sur une statue du Sacré-Cœur – confirment ses prévisions : l'Apocalypse approche. Elle en fixe même la date à ce fameux mois de juin 1995. Il s'agit désormais de s'y préparer. Ligonnès, accompagné par plusieurs membres de l'Église de Philadelphie dont sa mère, se réfugie au domicile d'un des leurs à Rennes. Certains enfants ont été déscolarisés tandis que plusieurs adultes ont démissionné de leur travail. Dans la cave, on stocke des vivres pour plusieurs mois. Jour et nuit on prie et on chante des psaumes à la lueur des chandelles dans l'attente du Jugement dernier. Un des disciples fait une crise de nerfs et se voit hospitalisé. La tension est à son comble. Mais les jours passent et rien. La lune ne prend pas la teinte du sang, les étoiles ne tombent pas sur terre, le ciel ne se retire pas comme un volume qu'on enroule. Il faut se rendre à l'évidence : l'Apocalypse n'aura pas lieu.

Pour Ligonnès, c'est un électrochoc. Il comprend qu'il a vécu jusqu'ici dans un monde de chimères auquel sa mère l'a obligé à croire. Trente-cinq ans de mensonges, trente-cinq ans bâtis sur du vide. Ce n'est même pas le doute qui l'envahit, c'est le néant. Il rompt aussitôt avec le groupe. Il ne veut plus entendre parler d'apparitions ni de messages divins. Comme il l'avoue dans une lettre, il ne croit plus à rien, et de conclure : «C'est la plus grande désillusion qui puisse exister, et il faut pas mal d'efforts pour apprécier la réalité et trouver le bonheur dans la vraie vie.»

Je n'avais pas vécu la même désillusion, mais ce rendez-vous manqué avec Marie avait jeté le trouble en moi. Je ne sais pas ce que j'avais attendu, mais pas ça. Pas des trombes de pluie et un vieil ampli grésillant. Si c'était ça, la foi, alors peut-être que je ne l'avais pas. Pour Ligonnès, le coup avait été plus brutal encore, à la mesure des années gâchées à écouter les élucubrations de sa mère. C'était bien plus que de la colère, c'était bien plus qu'un sentiment de trahison, ce qui l'avait dévasté alors, c'était la solitude. Le soleil triste. Les heures lourdes. Les hommes et les femmes gesticulant sans raison, mus par une urgence ridicule. Et cette solitude ce soir-là, alors que le ciel n'était que déluge et que seule la lumière de mon écran d'ordinateur découpait l'obscurité de la chambre, c'était la mienne.

Et si Medjugorje n'était qu'une méchante mystification? Et si Christian s'était fourvoyé?

Boris m'avait raconté comment les policiers sous Tito s'amusaient à allumer puis à éteindre des projecteurs en haut des collines pour laisser croire à une intervention divine. Les villageois accouraient aussitôt et ils leur tombaient dessus, les rouaient de coups en se riant d'eux : regardez, bande d'abrutis, vous confondez une ampoule avec Dieu, votre religion ne veut rien dire, vous n'êtes que des ignorants! Mais ces apparitions supposées, c'était pire, quand on y réfléchissait. Les voyants n'essayaient de berner personne ; ils n'avaient aucun intérêt idéologique ni financier. Nul n'aurait songé à remettre en cause leur piété. Alors, s'il ne s'agissait que d'un mirage collectif, si la seule chose venue du ciel sur le Podbrdo était ces ondées qui rinçaient la foule silencieuse, c'étaient tous les miracles du christianisme qui devenaient suspects. Tous les saints et tous les prodiges. Au premier rang desquels le plus grand de tous, la résurrection du Christ. Et si le Christ n'est pas ressuscité, notre foi est vide, dit saint Paul. Idée vertigineuse pour tout croyant, moi le premier.

Si souvent je bute sur ce mystère, et voilà que de nouveau le doute s'insinuait en moi. Car tous les arguments rationnels n'y font rien : les prophéties de l'Ancien Testament soudain réalisées ; le tombeau découvert vide, bien que gardé par des soldats romains ; des témoins si convaincus qu'ils décident de risquer leur vie et de braver les persécutions pour annoncer la bonne nouvelle ; ou encore le fait – et c'est mon préféré – que les disciples ne l'aient pas d'abord reconnu, comme s'il était revenu d'entre les morts sous une autre forme corporelle, une autre dimension du réel, celle-là même que nous aurons peut-être dans cette vie nouvelle... Non, tout cela ne vaut rien, et la seule manière d'approcher cette énigme, c'est avec le cœur. C'est en méditant la beauté foudroyante de ce que cette résurrection nous offre : l'éternité incarnée dans l'homme et l'homme appelé en retour à l'éternité.

L'au-delà sensible dès à présent pour chacun, et chacun invité après sa mort dans l'au-delà.

Dans son entretien avec Michel Pilorgé, Christian raconte comment cette révélation du Christ ressuscité a dû bouleverser les apôtres bien plus qu'on ne le pense. Et je suis d'accord. Il suffit de lire les Actes des apôtres ou les lettres de saint Paul pour le mesurer. Mais c'était il y a deux mille ans. Alors comment être encore bouleversé aujourd'hui? Faut-il grimper de nuit sur des collines en attendant la Vierge? Est-ce ce que Christian était venu chercher ici?

Après avoir relu la lettre de Ligonnès que j'ai conservée dans un dossier de mon ordinateur, je me connecte à Internet et je parcours les messages qu'il avait laissés deux ou trois ans avant sa disparition sur un site de discussion chrétien. On peut encore les trouver en tapant «cité catholique» – le nom du forum – et «chevy» ou «ligo» – ses deux pseudonymes. Il y discute des arguments qui pourraient le convaincre de nouveau de l'existence de Dieu. Ce sur quoi il achoppe, c'est la question des miracles. Aucune réponse ne le satisfait. Pour lui, la cause est entendue. Les prodiges ont une origine naturelle. Les guérisons spontanées? De l'autosuggestion. Les stigmates, pareils à ceux qu'on découvrit sur le corps de saint François à sa mort? Une mutilation volontaire entretenue par des produits empêchant la cicatrisation ou l'infection. Le soleil qui tournoie à Fatima? Une supercherie sur la base d'essais de nouvelles technologies militaires. Il a réponse à tout et traite à mots couverts les internautes, qui s'épuisent à lui répondre, d'ingénus ou d'attardés.

Et pourtant, derrière ce scientisme acharné transparaît un désir blessé de croire. Comme s'il savait déjà que la seule chose qui pourrait le sauver, la seule chose qui pourrait l'empêcher de tuer, c'est la foi. «Si Dieu n'existe pas, alors tout est permis», dit Ivan Karamazov.

Une envie absurde alors me saisit : celle de lui envoyer un message. Il suffit de s'inscrire sur le site et de reprendre le fil de la discussion. Après tout, il consultait encore le forum deux jours avant sa disparition. Rien ne l'empêche de le faire aujourd'hui. Un nouveau pseudonyme, une adresse IP à l'autre bout du monde et le tour est joué. Ne reste plus qu'à provoquer ce débatteur infatigable et à l'obliger à sortir de ses retranchements : rien ne prouve l'existence de Dieu bien sûr, mais l'inverse est aussi exact. Qu'est-ce qui permet d'affirmer que le monde se résume à la seule matière ? Après tout, il y a bien des phénomènes que nous ne comprenons pas : les trous noirs ; l'expansion de l'univers ; l'apparition d'une toute première cellule vivante ; ou encore le fait que, au-delà de l'instant T du big bang qui ne demeure qu'un modèle, les lois de la physique ne s'appliquent plus et la théorie de la relativité devient caduque. Peut-être me répondra-t-il, mû par son orgueil démoniaque et le besoin obtus d'avoir toujours raison : comment nier que la mort n'a pas un caractère irréversible ? Une fois l'organisme sans vie, quels signes tangibles avons-nous des êtres que nous avons connus ? C'est comme si eux-mêmes n'avaient jamais existé. Et derrière «eux-mêmes» je comprendrai qu'il parle de sa femme et de ses enfants. De leurs meurtres au sujet desquels il n'éprouve ni remords ni compassion. Nul n'est victime une fois dans la tombe. Nul ne souffre une fois mort. Ils ont été tués dans leur sommeil. Ils n'ont jamais vu leur assassin ; ils ne savent rien de ses problèmes d'argent ; ils ont conservé jusqu'au bout l'image d'un père travailleur et aimant. Voilà sans doute ce qui lui permet de leur survivre aujourd'hui : la réalité se limite à ce que l'on en voit, et rien d'autre. Argument glaçant auquel je ne pourrai jamais me résoudre. Ce soir-là, plus que tout autre, il me faut que Dieu existe à tout prix, sans quoi les actes de Ligonnès sont justifiés. Sans quoi la vie n'a aucun sens et je perds mon temps à suivre les pas de Christian.

27.

Le lendemain, une excursion était prévue au couvent de Široki Brijeg, tristement célèbre pour avoir été le théâtre du massacre de vingt-huit franciscains par les partisans de Tito en 1945. Réfugiés dans l'église, les frères avaient refusé de marcher sur des croix et de renier leur foi. Au contraire, ils s'étaient agenouillés et avaient demandé à Dieu de pardonner à leurs persécuteurs. Ils avaient été fusillés sur place puis leurs corps jetés et brûlés au fond d'un puits. Durant des années, celui-ci était resté condamné, la police interdisant aux habitants de s'y recueillir ou de commémorer la tuerie. Après le départ des communistes du pouvoir, la fosse avait été enfin excavée et Široki Brijeg transformé en un sanctuaire où les pèlerins se rendaient pour honorer le souvenir des vingt-huit martyrs.

Après une heure de car, le couvent et son église sont apparus en haut d'une colline boisée. Sur le parvis nous attendait notre guide. Une femme d'une cinquantaine d'années au beau visage émacié et aux longs cheveux noirs. Elle était née dans le village en contrebas et connaissait par cœur la longue histoire des franciscains en Herzégovine, qui avait débuté sept cents ans plus tôt. Déambulant dans la vaste église romane où avaient été enterrés les restes des frères, elle s'est mise à nous raconter comment saint François, en route vers la Terre sainte, s'était échoué sur les côtes dalmates après une tempête, et comment, peu de temps après, les premiers cordeliers avaient suivi ses pas et s'étaient établis dans la région, gagnant peu à peu la confiance des populations, travaillant avec eux dans les champs, apprenant à lire et à écrire aux enfants ; comment les Ottomans, après la chute de Constantinople, avaient fait main basse sur la Bosnie et commencé à discriminer les chrétiens jusqu'à raser toutes les églises, et à enlever les garçons pour les envoyer à Istanbul, les convertir à l'islam et les enrôler de force dans l'armée ; comment les frères mineurs, quatre siècles durant, avaient continué à célébrer des messes en secret au milieu des vignes ou au sommet des collines, enseignant dans des écoles clandestines et refusant de marier les jeunes filles tant qu'elles n'avaient pas atteint le même niveau d'instruction que leurs futurs époux ; comment, après un bref intermède de paix, les communistes avaient pris le relais des Turcs, assassinant des centaines de prêtres ou leur coupant la langue pour les empêcher de prêcher, les torturant ou les envoyant dans des camps dont ils ne reviendraient jamais, et comment, une fois le peuple mis au pas, l'espionnage et les humiliations quotidiennes avaient continué jusqu'à la mort de Tito en 1980 ; comment, au moment des premières apparitions de Medjugorje, ils avaient protégé les voyants et accueilli les pèlerins malgré les menaces et les intimidations du pouvoir en place, et comment encore, durant la guerre de Yougoslavie, ils étaient restés sur place pour encadrer les convois humanitaires et célébrer les offices dans les églises bombardées... Puis brusquement sa voix s'est brisée. Nous étions à l'entrée du puits où les martyrs avaient été brûlés il y a plus de soixante-dix ans. Elle nous a invités à descendre les marches, mais elle-même est demeurée en retrait. Quelque chose l'empêchait de nous suivre. Comme si au fond de cette fosse on pouvait toujours humer l'odeur des cendres froides et voir les traces de suie sur les roches. Comme si les débris d'os humains et les morceaux de bure carbonisés jonchaient encore le sol rocailleux. Comme si l'horreur s'était fossilisée à jamais dans ces parois.

Elle n'était pas encore née à l'époque du massacre, mais elle en avait souvent entendu le récit dans sa famille. Personne ne pouvait oublier le silence qui s'était abattu sur Široki Brijeg en cette matinée de février 1945. Un silence surnaturel. Plus un éclat de voix, plus un tintement de cloche. Même la nature semblait figée dans l'effroi. Les villageois avaient attendu le soir avant de monter sur la colline. Sa grand-tante, accompagnée de son fils de dix ans, avait été une des premières à arriver sur place. Elle avait découvert au fond du puits les dépouilles calcinées des frères. Un cri avait déchiré sa poitrine tandis qu'elle s'effondrait à genoux. Son fils Anton gisait là. Il n'avait plus visage ni corps. Mais ce qu'il restait de lui se trouvait en contrebas parmi les reliefs fumants du charnier. Elle enfonçait ses doigts dans la terre en hurlant, son visage défiguré par la douleur. Les villageois osaient à peine s'approcher; certains l'invitaient à se relever pour l'éloigner de la fosse, mais c'est comme si elle ne les entendait plus. Elle avait déjà basculé dans l'au-delà de la mort pour rejoindre son fils. Alors son cadet âgé de dix ans l'avait prise par les épaules et lui avait dit : « Maman, ne pleure pas, s'il te plaît. Moi aussi je deviendrai franciscain. Je te promets. » Une dizaine d'années plus tard, le garçon prononçait ses vœux définitifs dans ce même couvent de Široki Brijeg. Ainsi que le veut la coutume quand on entre en religion, il s'était choisi un nouveau prénom. Désormais il s'appellerait frère Anton. Comme le défunt.

Après que la guide a achevé son histoire, je reste un long moment seul dans le puits. Il n'y a rien de particulier à l'intérieur, aucun détail, aucun souvenir du massacre, mais j'entraperçois pour la première fois ce que je suis venu chercher ici. Le miracle de Medjugorje, c'est la foi qui habite ces villageois. Et cette foi, ceux qui l'ont maintenue vivace depuis près de huit cents ans, ce sont les franciscains. Malgré les Turcs, malgré Tito, malgré la guerre. Malgré les exécutions et les églises rasées. Malgré la peur et la tentation de se renier. Ils ont fait de Medjugorje ce qu'elle est aujourd'hui, et c'est ce qui a bouleversé Christian. Boris a raison : l'essentiel, ce ne sont pas les apparitions mais ce qu'ont accompli les hommes en continuant de croire à l'impossible. Peu importe les signes, peu importe les phénomènes mystérieux, le seul véritable don du ciel est intérieur. Jésus ne dit pas autre chose dans les Évangiles quand il met en garde contre ses charismes et refuse qu'on en répande le mot : ce ne sont pas les prodiges qui doivent donner à croire – sans quoi des salauds se convertiraient sans pour autant chercher le bien –, mais le fait de croire qui permet des prodiges. « Va. Ta foi t'a sauvé », dit-il au paralytique.

Dit-il à Marie Madeleine. Dit-il à tous ceux qui souffrent et peinent. Les incrédules jugent plus difficile de guérir la vue que de guérir le cœur. Or c'est la foi qui est proprement surnaturelle puisqu'elle donne à connaître Dieu et son amour. C'est la foi, le miracle des miracles.

Parfois il m'arrive de repenser à notre guide. À cette femme au beau visage de Mater dolorosa qui pleurait encore sur le massacre de Široki Brijeg et sur la mort de frère Anton, sa mort et sa résurrection inespérée, et je me dis que c'est peut-être elle, au fond, dont Boris m'avait dit qu'elle finirait par venir à moi, tu verras, il suffit de se laisser porter, c'est peut-être elle, la Vierge de Medjugorje.

28.

Pour Christian, après ce voyage, le plus dur restait à accomplir : rompre avec sa vie d'avant. Ce n'était pas quitter un être aimé, ni changer de culture et de continent ; c'était bien plus drastique : s'isoler au milieu des hommes ; devenir un étranger en son propre pays ; renoncer à tout avenir et à toute descendance.

Un ami allait l'aider dans cette épreuve. Un ami dont il était inséparable depuis son pèlerinage à Medjugorje et qui, lui aussi, des années auparavant, avait accompli ce saut dans le vide de la plus spectaculaire des manières.

Cet ami, c'était saint François d'Assise.

La scène se déroule en plein jour sur la place Sainte-Marie-Majeure d'Assise, devant une foule de badauds. L'évêque a organisé une confrontation entre François et son père, Pierre Bernardone. Motif de la dispute ? Le comportement erratique du futur saint depuis sa rencontre avec le lépreux. Il délaisse la boutique familiale pour travailler dans les ladreries de la plaine ou distribuer des aumônes mirobolantes aux pauvres et aux vagabonds. L'argent de son propre père, amassé à la sueur de son front ! Pour qu'il finisse dans les mains d'inconnus. De manants ! De cul-terreux ! Sa dernière frasque en date : François a vendu son cheval et quelques rouleaux de draps volés au magasin pour reconstruire la petite chapelle de San Damiano comme le Christ le lui a ordonné. C'est assez ! La décision de Pierre est prise : il va traîner François devant la justice communale pour lui donner une leçon. Celui-ci, cédant aux supplications de l'évêque, accepte de rendre à son père les quelques pièces d'or obtenues contre la vente du cheval et des étoffes. Mais il ne va pas s'arrêter là. À la stupeur de la foule, il se déshabille et dépose ses vêtements sur les bras de son père, scandalisé. François est désormais nu comme Adam au commencement de la terre, et sous le regard de l'évêque qui s'empresse de le couvrir de son manteau, il déclare : « Désormais je veux dire notre Père qui est aux cieux et non plus père Pierre Bernardone. »

Chaque fois que je croise un franciscain, je pense à cette scène. Et je me dis que lui aussi a dû quitter un père parce qu'il s'en est choisi un autre, lui aussi a dû abandonner tout ce qui lui appartenait pour vivre selon l'idéal du Christ, et ce geste me paraît d'un héroïsme insensé. Qui autour de moi en serait capable ? Qui autour de moi aurait ce courage ? Personne. Et pourtant Christian l'a eu.

Un jour, il a réuni sa famille dans un restaurant et lui a annoncé qu'il avait rencontré Dieu. Qu'il allait désormais lui consacrer sa vie. Qu'il entrait chez les Franciscains. Tous sont tombés de leur siège. Ils n'avaient rien vu venir. Ça leur paraissait complètement fou, cette histoire. Comment lui était venue une telle idée ? Est-ce qu'il avait bien réfléchi au moins ?

Oui, Christian était sûr de lui. D'ailleurs, il souhaitait se débarrasser de ses biens pour respecter son vœu de pauvreté. Il a donné sa voiture à l'un de ses frères et sa chevalière aux armes des Montaigu à un autre. Il a rendu son appartement de la place des Fêtes et légué à chacun un souvenir parmi le charivari de ses foulards en soie, de ses chemises à plastron, de ses costumes croisés à l'anglaise qu'il étrennait lors des rallyes et des soirées de sa jeunesse. Même à moi, qui étais encore un enfant, il a tenu à offrir le stylo à plume d'or que ma mère allait retrouver trente ans plus tard. Quant au reste de ses meubles et de ses affaires, son plan épargne logement et les derniers fonds de son compte en banque, il les offrirait au Secours catholique et à ATD Quart Monde. Il accomplissait enfin son rêve de se retrouver nu comme François.

Bien sûr, la rupture avec sa famille n'a pas été aussi violente que pour le saint d'Assise. Sa mère avait quitté ce monde depuis longtemps. Son père avait toujours été un catholique fervent et approuvait son choix, quand bien même il aurait préféré un ordre plus prestigieux comme les Jésuites ou les Dominicains. Ses frères et sœurs menaient des vies dispersées et ne savaient rien de ses errements passés, mais quand même... un proche qui entre dans les ordres, ils se sentaient bousculés. Qu'est-ce qu'ils avaient raté ? Pourquoi préférait-il soudain des inconnus aux siens ?

Christian, lui, sait ce que ce choix implique, il connaît les paroles terribles de Jésus dans l'Évangile quand on lui annonce que sa mère et ses frères sont là : « Ma mère ? Mes frères ? Mais qui sont-ils ? Et, tendant la main vers ses disciples : Voici ma mère, voici mes frères. Celui qui accomplit la volonté de mon Père dans les cieux, celui-là est tout à la fois mon frère, ma sœur et ma mère. »

Christian les aime comme sa propre chair pourtant, il ne cessera de leur prouver son affection, mais cette affection, il la doit aussi à d'autres qui en ont plus besoin encore. Aimer tous les hommes comme ses propres frères, ne donner la préférence à aucun, voilà ce que réclame le Christ. Cela peut paraître surhumain, et pourtant c'est la seule façon d'être libre dans son cœur, d'aimer chaque chose de la création sans aucune distinction. Les oiseaux et les porcs, les roses et le chiendent, les nobles et les lépreux, les croyants et les athées, le soleil et la grêle, car tous portent la trace de Dieu en eux.

Rancé à La Trappe avait institué cette règle : si mourait quelque parent proche d'un moine, ce dernier n'en était pas averti, mais on évoquait sans le nommer le disparu au chapitre suivant afin que chacun en fasse le deuil comme s'il s'agissait de sa propre mère ou de son propre père. Chaque fois que tu entends le glas, dis-toi qu'il sonne pour toi aussi.

Christian annonce aux siens qu'il quitte tout pour entrer, à trente-huit ans, au noviciat franciscain de Vézelay.

29.

Du sommet de la colline, on aperçoit les forêts de chênes et de hêtres du Morvan, les coteaux et les vignobles roussis par la lumière du couchant. À l'ouest Montjoie, d'où les anciens pèlerins découvraient le sanctuaire pour la première fois, tombant à genoux pour chanter l'alléluia tandis que les hommes s'en allaient laver leur membre viril dans un petit ruisseau en contrebas. À présent, on les voit remonter la longue pente de la rue principale qui débouche sur la basilique, au milieu de maisons d'un autre âge. Celle des novices se trouve sur le parvis, au coin de la rue des Ursulines. Une bicoque aux pierres émoussées et au toit de guingois. De sa chambre au premier étage, Christian peut contempler chaque matin l'austère façade de l'église et sa tour unique, le tympan sculpté au-dessus du portail en bois et le haut pignon en ovale avec ses baies étroites et ses statues écroulées d'anges ou de saints, au milieu desquelles s'ébattent des merles et des choucas. Une odeur de Moyen Âge et de marronniers en fleur. Vézelay, Vézelay, Vézelay, Vézelay : le plus bel alexandrin de la langue française selon Aragon. Tel sera le théâtre où Christian va passer les deux années à venir.

Le noviciat est un temps de retraite où l'on garde peu de contacts avec le monde extérieur. Les journées y sont réglées comme le calendrier des psaumes que l'on chante aux offices. Sept heures trente lever ; oraison et laudes ; petit déjeuner et cours sur la vie et la spiritualité de saint François ; office du milieu du jour et messe ; puis les travaux ménagers, les vêpres, le dîner, un temps d'études et enfin le coucher. Le week-end, une promenade dans la campagne avec le maître des novices. Parfois un repas au presbytère où logent quatre autres frères en charge de la basilique. Une vie frugale, d'une rare monotonie. Mais une vie qui lui procure aussi un sentiment de paix. Aucune attente, aucune tentation. L'impression que le temps revient sans cesse sur lui-même dans une sorte de cycle sans fin, pareil à la gravitation des corps célestes. Un avant-goût de l'éternité peut-être.

À son arrivée à Vézelay, un autre novice réside déjà sur place. Mais, très vite, il renonce. La vie en communauté, ce n'est pas pour lui. Il préfère œuvrer comme prêtre dans son diocèse. Trois ans plus tard pourtant, il abandonnera la vie consacrée pour une femme. Deux autres novices rejoindront Christian ; eux non plus ne sont plus dans les ordres aujourd'hui. Pas facile, au sortir de l'adolescence, de quitter sa famille, ses amis, de ne pas être saisi de vertige devant l'avenir : serai-je toujours à la hauteur ? Et si c'était une fuite, une illusion ? Et si je n'étais pas fait pour cette vie-là ?

Christian, lui, a l'avantage d'avoir déjà vécu et sait ce dont il ne veut plus. Le revers de la médaille : se retrouver sous la coupe d'un supérieur, dépendre de lui pour l'argent comme pour les horaires, discipline infantilisante surtout quand on approche les quarante ans. Et puis il a toujours été habitué à l'effervescence parisienne… Ici, pas une distraction, personne avec qui parler. Personne, hormis le maître des novices rigide et vieille école, et les quatre frères mineurs qui s'occupent de la basilique et lui donnent parfois des cours d'exégèse biblique. Là-dessus, une fois par an, le carême. Quarante jours de retraite à La Cordelle, un ermitage accolé à une chapelle du XIIᵉ siècle, au bas des remparts, où les premiers compagnons de François s'étaient établis à leur arrivée en France. Des repas spartiates, des cellules exiguës, un chauffage cyclothymique, des journées entières à prier dans la crypte aux murs noircis de suie dans l'isolement le plus total.

Pourtant, tous en témoignent, Christian n'a jamais connu un tel apaisement. À aucun moment, il ne remet en cause la voie qu'il s'est choisie. Comparées à l'expérience de Dieu, toutes les autres lui paraissent minuscules. Amours boiteuses, ambitions mesquines, réveils douloureux, à quoi cela mène-t-il? S'étourdir dans le travail ou les stériles amusements pour oublier qu'un jour nous allons mourir : est-ce qu'on peut vraiment se contenter d'une telle vie? Non, il en est sûr, une vie heureuse, c'est une vie au service de l'amour. Maintenant, ce qu'il veut, c'est remonter à la source de cet amour. Faire toute la place à cette puissance invisible pour qu'elle irradie le monde autour de lui.

30.

Christian s'est réfugié dans la religion parce qu'il était malheureux. Il n'assumait pas sa sexualité. Sa vie lui paraissait un échec. Alors Dieu lui en a offert une de rechange.

C'est ce que Nietzsche penserait de lui à n'en pas douter. Aux yeux du philosophe, la foi n'est rien d'autre qu'une ruse pour se promettre un bonheur qui nous échappe ici-bas, une invention des plus faibles pour se venger de leurs souffrances, tout en punissant les bienheureux et les puissants qui jouissent pleinement de leurs forces...

Incapable d'assumer ses instincts, Christian fait honte à son corps et à ses désirs ; il redoute d'affronter la violence et l'instabilité de ce monde, lui préférant le commerce avec des êtres imaginaires. Bref, c'est un raté, fantasmant sur une seconde chance dont personne de surcroît ne peut lui prouver l'inanité puisqu'il la situe, par un fait exprès, après la mort.

Théorie séduisante à laquelle il m'est arrivé de penser qu'elle recèle une part de vérité. Entrer dans les ordres, n'était-ce pas descendre au tombeau avant l'heure ? S'enterrer vivant avec ses propres démons ? Et si ceux-ci avaient fini par ressurgir de terre ?

J'ai pris la route de Vézelay par une pluvieuse soirée de janvier. Frère Florent m'attendait au couvent de La Cordelle. Un vieux paysan à la poigne rugueuse, arborant un survêtement Adidas et des charentaises à carreaux écossais.

Ils n'étaient plus que deux frères à occuper cet ermitage – un corps de bâtiment sommaire adossé à la petite chapelle du XIIe siècle –, mais le second était retenu au Secours populaire d'Avallon pour la nuit. Florent a pris mon «barda» et m'a conduit à ma «piaule». Les autres chambres, qui accueillaient parfois des pèlerins en route vers Compostelle, étaient vides. Peu de gens s'aventuraient par ici à cette époque de l'année. Par la fenêtre, je ne voyais rien sinon la cour boueuse et les ombres frissonnantes des arbres.

«Allez, viens, mon Thibault, a lancé Florent. On va casser la dalle. J'ai préparé des lentilles et des saucisses de Morteau. J'espère que t'aimes ça.»

Le matin même, j'étais à Paris, à moitié décalqué de la veille, en train d'interviewer une styliste new-yorkaise qui avait traîné avec Andy Warhol et Keith Harring avant de lancer au début des années 1980 la carrière de Madonna. Et me voici en compagnie d'un vieux garçon en jogging qui a choisi de vivre selon l'idéal de saint François. C'est comme si deux hommes cohabitaient en moi, celui que j'ai toujours été et celui qui a découvert Dieu au Barroux. Le désir d'intensité d'un côté et la quête de recueillement de l'autre. L'adrénaline et le silence. La modernité et l'au-delà. En aurai-je fini un jour avec ces grands écarts?

J'aimerais que Christian puisse me répondre oui. Mais si lui-même n'y était pas arrivé? La pauvreté, le don de soi, la vie en communauté, je ne doute pas. Mais le sexe, mais la chair, mais les yeux blancs de l'orgasme... Qui croit encore la chasteté possible aujourd'hui? À moi aussi, cela paraît homérique, s'attacher à un mât tel Ulysse pour résister au chant des sirènes. Garder toujours le cap sur Ithaque, malgré les sortilèges et les tentations. Cette Ithaque qui aux yeux de tous ces hommes et ces femmes a pour nom le royaume de Dieu. Combien y survivent? Combien comme Ulysse gardent la foi en un seul et unique amour? De nos jours, les saints n'habitent plus que les enluminures des livres et les niches des chapelles. Vivre avec quelqu'un jusqu'au dernier souffle... Vivre avec quelqu'un qu'on ne peut ni toucher ni entendre... Folie!

Peut-être Florent pourrait m'en apprendre plus... Hélas, il n'habitait pas sur place au moment du noviciat de Christian, mais à Mons où il s'occupait des gens du voyage. Il l'a très peu connu en dehors des chapitres annuels de l'ordre. Mais, à voir ses grosses mains posées sur la table comme deux bêtes au repos, son sourire figé et son regard qui traîne sur le sol aux carreaux descellés, sa bonté silencieuse qui n'attend que d'être réveillée pour servir, j'ai l'impression de retrouver un peu de Christian. La même humilité, la même façon de s'effacer devant l'autre. Même son travail d'aumônier au centre de détention de Joux-la-Ville, il renâcle à l'évoquer. Pourtant ça doit être dur, une prison, avec 80 % de délinquants sexuels. Des types qui tapent sur leur femme, des violeurs récidivistes, des pédophiles… Et lui s'y rend tous les jours, parcourant avec sa vieille Peugeot les vingt kilomètres qui le séparent de Joux, pour célébrer des messes, animer des groupes de prière et visiter les détenus en cellule. Eux qui sont les monstres des monstres, et qu'un vieux franciscain vient écouter. «Car même le pire des monstres porte le bon Dieu en lui, mon Thibault.»

En écoutant Florent, je comprends mieux l'exigence du célibat : c'est pour demeurer fidèle à ces parias. Assis dans leur cellule, face à eux, il n'y a pas d'autre endroit au monde où le prêtre préférerait être à cet instant, pas de femme ou de gamins qu'il doit rejoindre, pas de querelles ou d'histoires de cœur propres à distraire son esprit. Il est tout entier là pour eux. Tel est son destin : aimer ceux qui ne le sont pas.

Le lendemain matin, Florent m'a emmené faire une balade. La campagne était toute grise et mouillée. Des merles sautillaient au milieu des champs dénudés. Peut-être que Christian lui aussi était passé par là le dimanche en compagnie du maître des novices. Peut-être que lui aussi se demandait s'il serait capable un jour d'être du côté des anges.

«Dis-moi, Florent, me suis-je lancé, tu crois que Christian, une fois entré au noviciat, est resté vierge?

— Je ne peux pas te dire, m'a-t-il répondu. Je ne connais pas sa vie.

— Mais toi, par exemple, tu as déjà connu quelqu'un, je veux dire, tu as déjà été avec une femme?»

Florent n'a marqué aucune surprise; il a continué de marcher sans rien dire, le regard au sol. Peut-être était-ce la seule réponse possible : feindre de n'avoir pas compris ma question. Il a fini par s'arrêter. Nous étions arrivés sur un tertre planté d'une immense croix. Une plaque indiquait que Bernard de Clairvaux, au mitan du XIIe siècle, avait prêché la deuxième croisade ici même, devant cent mille soldats. Un vent glacé jouait dans les branches nues des arbres.

« Il y a eu une fille, il y a longtemps..., a-t-il commencé. Elle s'appelait Sylvie et habitait en Alsace. »

Il passait devant chez elle pour se rendre dans les vignes où il travaillait. Il avait arrêté l'école très tôt. Sylvie était connue pour flirter. Tous les garçons du village lui couraient après, mais Florent était du genre timide. Il avait découvert saint François grâce à un prêtre et réfléchissait déjà à entrer dans les ordres. Elle, forcément, ça l'intriguait, ce type un peu pataud qui fuyait son regard. Alors elle avait commencé à lui faire du gringue, à lui dire qu'il avait de beaux yeux, qu'il était différent des types du village, qu'il ne pensait pas qu'à courir les filles et à les sauter. Mais pour Florent ce n'était qu'un jeu. Elle n'était pas sérieuse. Bientôt ce serait le tour d'un autre. Pourtant, le jour où elle avait appris qu'il entrait chez les Franciscains, elle était allée faire toute une scène chez le prêtre : c'était sa faute ; il lui avait bourré le crâne ; il devait le convoquer immédiatement et le faire changer d'avis. Mais ça n'y avait rien changé. Florent avait suivi son noviciat à Besançon et ils s'étaient perdus de vue.

Sylvie s'est mariée une première fois, puis une seconde : ça n'a pas duré. Elle a enchaîné des histoires sans lendemain. Un désastre à répétition. Le type buvait comme un trou ou levait la main sur elle ou la trompait comme pas permis. Chaque fois qu'elle était sur le carreau, elle revenait vers Florent. Elle lui écrivait des lettres implorantes : sa vie était un échec, elle ne pourrait jamais construire rien de bien avec quiconque, ce qu'il lui fallait, c'était un homme comme lui, un homme sur qui elle pourrait compter, si seulement il n'était pas entré dans les ordres, si seulement il avait choisi une autre vie. Peut-être que ce n'était pas trop tard après tout... Il se faisait toujours un devoir de lui répondre : elle était malheureuse, mais elle finirait par trouver l'amour, il en était sûr. Dans ses moments de désespoir, elle le suppliait de la laisser venir dans sa fraternité. Elle avait besoin de le voir, de lui parler. Alors il finissait par céder. Il n'avait pas le cœur de lui refuser sa porte. Mais pas plus qu'un après-midi. Le soir même, elle devrait être partie. Il ne voulait pas lui donner de faux espoirs. Son choix, il l'avait fait depuis longtemps. Il aurait pu finir par succomber pourtant. Il l'avoue. Mais Dieu l'en a préservé, et Sylvie a fini par disparaître de sa vie. Il ignore où elle est aujourd'hui, mais il a conservé ses lettres et les relit parfois : elle lui dit qu'il a toujours été son seul et unique amour. Il ne regrette rien. Ils auraient fini par être malheureux tous les deux. Et quand je le regarde sourire, les yeux perdus dans le vague, presque déjà un vieillard, je le crois. Des oiseaux jettent des cris entre les ramages. La campagne est pleine d'odeurs de lichen et de bois mort. J'ai peine à croire qu'il y ait eu un jour ici des dizaines de milliers de chevaliers et d'écuyers en partance pour la Terre sainte. Louis VII le Jeune et Éléonore du Guyenne, le comte de Flandres et tous les barons de Bourgogne. Et Bernard de Clairvaux qui les haranguait depuis cette butte tout de blanc vêtu. Mais ce qui me paraît tout aussi incroyable, tout aussi extraordinaire, c'est que cet homme de soixante ans, au crâne dégarni et au front labouré de rides, soit vierge et que Christian, à l'âge d'être père, le soit redevenu.

Oui, de toutes ses aventures, c'est peut-être la dernière, la plus grande, la plus folle qu'il lui a été donné de vivre.

31

Il ne reste pas grand-chose de la vie qu'a connue Christian ici. Le noviciat a fermé depuis longtemps, faute de vocations. Désormais les rares postulants issus de pays francophones sont envoyés en Italie ou en Pologne. La petite maison sur le parvis a été récupérée pour les sœurs de la Fraternité monastique de Jérusalem. On les croise parfois dans les rues escarpées du village avec leur voile blanc, leur tunique et leur scapulaire bleu ciel. Leur visage sans âge et leur voix de tête avec laquelle elles saluent les passants. Mais des franciscains en robe de bure et sandales, nulle trace. Les frères n'ont plus la charge de la basilique et ont dû quitter le presbytère. Tous ceux qu'a fréquentés Christian sont morts. Sauf un. Florent ne monte plus ici. Même pour la messe du dimanche qu'il célèbre dans un des vingt clochers des environs devant une assemblée clairsemée de cheveux blancs. Soit une messe tous les quatre mois dans un village, et des églises fermées le reste de l'année.

Seule survivance au passage de Christian : l'église en vis-à-vis. Sainte-Marie-Madeleine de Vézelay.

On raconte que Georges Bataille durant la guerre en possédait les clés et s'y rendait en cachette, tenaillé par cette angoisse du «fond des mondes» dans lequel il se refusait à reconnaître Dieu. Dans *Le Coupable*, qu'il écrit au cœur d'une petite maison en pierre donnant à la fois sur la rue principale et la vallée, il note : «J'ai espéré la déchirure du ciel (le moment où l'ordonnance intelligible des objets connus – et cependant étrangers – cède la place à une présence qui n'est plus intelligible que par le cœur). J'ai espéré mais le ciel ne s'est pas ouvert.»

Non. Le ciel ne s'est pas ouvert. Et pourtant il a tenu à être enterré ici, dans le cimetière pentu sous la terrasse des remparts, aux côtés de l'Ysé de Claudel. La pierre anthracite criblée de blanches efflorescences, le nom effacé par la pluie et les ans, son corps figé dans cette dernière extase qu'est la mort.

Vézelay est le refuge des dandys dévoyés, des poètes au cœur écorché, qui, derrière les excès et les provocations, n'ont jamais cherché que l'absolu. Gainsbourg, venu passer les derniers mois de sa vie chez Marc Meneau, le chef étoilé, tremblait comme un enfant d'entrer dans la basilique. Les médecins lui avaient ôté une moitié du foie, il se savait condamné, mais il se refusait toujours à croire. Une nuit pourtant, on l'avait surpris en train de pleurer contre un pilier, dans la clairière de lumière du chœur gothique, tandis que Rostropovitch enregistrait les suites pour violoncelle de Bach. Durant trois mois, au cœur de l'hiver, le musicien s'était installé dans une chapelle du déambulatoire, joue contre joue avec son Stradivarius, au milieu des froissements d'ailes des chauves-souris.

Musique descendue du ciel que les voûtes en plein cintre reprenaient en écho jusqu'au fond de la nef. Alors, oui, il y avait de quoi tomber à genoux, et dire – comme Saul au désert, comme Simone Weil à Solesmes, comme Claudel derrière le pilier de Notre-Dame, comme tant d'autres athées inexpugnables –, je crois. Je rends les armes. Maintenant, prenez-moi.

Gainsbourg et Bataille n'ont pas osé ce dernier geste d'abandon absolu, mais Christian l'a fait. Et chaque jour il s'est agenouillé dans la crypte en clair-obscur, inclinant le front contre la grille qui protège Marie Madeleine dans sa châsse en or. La prostituée, rejetée de tous, que le Christ a accueillie auprès de lui. La pécheresse qui s'est jetée à ses pieds, les inondant de larmes avant de les baiser et de les oindre de parfum. Cet apôtre des apôtres qui a abandonné sa vie de malheur pour suivre Jésus jusqu'à Jérusalem. Jusqu'au calvaire. Jusqu'au tombeau et, le troisième jour, l'a vu ressuscité. La première à qui il est apparu dans son corps glorieux. La première à renaître à la joie et à l'espérance. C'est elle que Jésus a choisie d'entre tous pour annoncer la bonne nouvelle parce qu'elle a connu les ténèbres de l'âme et, au cœur même de ces ténèbres, elle a eu le courage de croire. Croire que l'amour et les larmes et la patience sont les plus grandes des puissances. Croire que l'amour et les larmes et la patience peuvent vaincre la mort et le désespoir.

Ce n'est pas un petit tas d'ossements auquel Christian s'adresse de derrière les barreaux où se trouve le reliquaire, mais à sa propre sœur. Et cette sœur, il l'implore de lui montrer la voie, de l'aider à chasser ses démons comme elle l'avait fait pour elle-même, de lui inspirer la douceur surnaturelle devant laquelle les êtres les plus cruels et les ricaneurs prennent peur. C'est la dernière chaîne qui le retient au passé. La blessure de la chair. Et après deux ans de prière, il comprend que Madeleine l'a exaucé. Désormais il sera un apôtre comme elle.

Chers tous,
Je suis heureux de vous annoncer la date de mes vœux au 13 juin à 15 heures. Chapelle de La Cordelle à Vézelay. Je compte sur votre présence. Paix et joie à tous.
Christian.

J'ai conservé l'invitation sur moi. Ainsi que les photos de la cérémonie. On y voit Bon Papa, mes oncles et tantes, toutes sortes de personnes que je ne connais pas. Et puis mon père qui apparaît soudain, veste en tweed et mèche au vent, très lord anglais fendant la foule, le port altier et le sourire briscard. Étrange vision que ce tombeur impénitent au milieu de ces prêtres en aubes blanches, lui qui passe sa vie dans des lits qui ne sont pas le sien avec des femmes qui ne sont pas la sienne, félicitant sa grande asperge de frère vêtue de sa robe de bure et de sa cordelette à nœuds, son frère qui s'apprête à renoncer à cette vie d'insouciance et de plaisirs pour se soumettre à une volonté supérieure *perinde ac cadaver*. À la manière d'un cadavre. «Eh bien, *tchin*, mon vieux, je te souhaite bien du courage!»

Christian, lui, irradie de joie, et je ne peux m'empêcher de penser: ils ont raison, il n'a jamais été aussi heureux. Il prend tout le monde dans ses bras, adresse un mot gentil ici et là. «Mais t'es venu voir ton tonton, ah, mais c'est vachement sympa, ça, ça lui fait drôlement plaisir, tu sais, viens que je te donne un bécot...» Les vieilles tantines ont la larme à l'œil. Les potes de bamboche n'en reviennent pas. «Dis donc, Cricri, c'est pas fringué comme ça que tu vas rentrer au Palace.» «Ah, mais je compte bien y faire un tour. Aumônier de boîte de nuit, ça a de l'avenir. Avec toutes les brebis égarées qu'on y croise...» «Franchement je ne m'y fais toujours pas. Passer du Bottin mondain au Nouveau Testament, il faut le faire, quand même!»

La suite, c'est dans la petite chapelle que ça se passe. Les gens tiennent à peine dedans. On se tasse sur les cinq ou six bancs devant l'autel – une simple dalle de pierre où sont posés un ciboire en cuivre, les burettes et la bible. Les autres se serrent debout contre les murs, le dos des costumes marbré de blanc à cause des moellons. On entend dehors la rumeur du printemps. Les merles, les rouges-gorges, les alouettes des champs, bientôt recouverts par la voix du prêtre récitant le credo. «Je crois en Dieu, le Père tout-puissant, créateur du ciel et de la terre...» Et tout le monde de reprendre en chœur, enfin ceux qui s'en souviennent encore.

Le célébrant invite Christian à ses côtés pour faire sa demande de profession. Remue-ménage dans les rangs. Claquement des obturateurs. Difficile de prendre une photo avec le manque de recul et puis le soleil qui filtre à peine d'un vitrail en lancette au fond du chœur. Les frères qui ont qualité de prêtre font cercle derrière Christian, tout de blanc vêtus. Ils sentent le linge humide et le vieux. En comparaison, Christian a l'air d'un jeune homme. Il faut dire qu'il a de la gueule dans son habit. Et puis il récite drôlement bien. Ah, ça, oui, ça l'habite. Le prêtre lui pose les questions d'usage, et chaque fois Christian répond «Oui, je le veux» comme dans un mariage. Sauf que sa fiancée n'est pas là, sa fiancée est invisible, et on ne peut s'empêcher de penser : il faut être sacrément mordu quand même.

La petite foule est invitée à passer au jardin pour les vœux. Christian s'agenouille dans l'herbe face au provincial assis sur une chaise. Les frères se tiennent en rang contre le muret de pierre à moitié effondré. Des mouches zigzaguent dans l'air; l'herbe est pleine de taupinières. «Toute cette terre, ça va flinguer mes godasses.» «Plains-toi, t'es pas en talons au moins!» «Hé, les deux, dites-nous si on vous emmerde...» Le provincial prend les mains de Christian dans les siennes. On dirait une scène de chevalerie. Un rite féodal surgi des profondeurs du Moyen Âge. Puis il récite la formule de profession : «Moi, frère Christian, puisque le Seigneur m'a inspiré de suivre de plus près l'Évangile, et les traces de notre Seigneur Jésus-Christ, en présence des frères ici rassemblés, entre tes mains, frère Olivier, animé par une foi solide et une ferme volonté, je fais vœu à Dieu le Père, saint et tout-puissant, de vivre tout le temps de ma vie dans l'obéissance, sans rien en propre et dans la chasteté, et je professe également la Vie et la Règle des frères mineurs...»

Il baisse la tête et le provincial pose sa main sur le crâne de Christian pour le bénir. Ça y est, c'est fait.

Il s'appelle frère Christian désormais. Il ne connaîtra ni la gloire, ni la joie d'être père, ni la consolation de l'argent, ni le bonheur d'être aimé. Projet sublime mais effrayant aussi, car si jamais Dieu n'existe pas, alors toutes les années qu'il s'apprête à vivre ne seront pour rien.

32.

Je n'étais pas là pour ses vœux, mais je me rappelle être allé à Lille, trois ou quatre ans plus tard, lorsque Christian a été ordonné prêtre.

On nous avait réquisitionnés pour l'occasion, mon frère et moi. Pas sûr que cela nous ait rendus fous de joie. Passer le week-end en compagnie de vieux cacochymes avec du poil aux oreilles et aux narines, à qui l'on devait donner du mon oncle ou ma tante, merci. Si en plus on devait se coltiner des petits moines ventripotents avec des coupes au bol comme dans la pub du Chaussée aux Moines, alors là c'était le pompon. Moine ou curé, catholique ou chrétien : je ne faisais pas la différence. Tout se confondait dans le même éternel ennui.

Au moins, nous n'étions pas les seuls à avoir été embringués dans ce traquenard. Nos cousins aussi avaient fait le déplacement depuis Bruxelles et Dresde et Angers et je ne sais où encore. Je n'étais pas très au fait de la géographie familiale, et encore moins de ses chinoiseries généalogiques, mais je me sentais secrètement complice de ces gamins sur leur trente et un, avec leurs chemises boutonnées jusqu'au col et leurs chaussettes montantes qui leur irritaient les mollets, leurs bermudas en flanelle et leurs mocassins cirés.

À la radio, on parlait déjà de l'an 2000, mais, pour certaines choses, nos parents vivaient encore à l'époque de la comtesse de Ségur.

Comme si ce n'était pas suffisant, nous étions arrivés des plombes avant la cérémonie. Les adultes parlaient de trouver un bistro, mais le quartier était assez sordide. Je me souviens de grandes barres d'immeubles dressées contre un ciel gris et d'un vaste parc avec un terrain en terre battue. Alors l'un de nous s'est exclamé : « Hé, les gars, j'ai un ballon dans la voiture. Je vais le chercher ! » Et deux minutes plus tard, on était sur le terrain à taper dans la balle.

Très vite, d'autres gamins ont débarqué. Ils portaient des survêts Fila ou Tacchini. Comme ils étaient nombreux, on a décidé qu'ils formeraient une équipe et nous une autre. On a jeté nos vestes en boule pour délimiter les buts et tracé au talon les lignes de touche. Les grandes gueules dans mon camp se sont portées sur le front de l'attaque, laissant les chétifs et les plus timides comme moi se coltiner les basses tâches défensives. J'avais l'habitude. Derrière au moins, on ne se faisait pas hurler dessus parce qu'on avait oublié de passer la balle. Sauf que la balle, on ne l'a pas vue. Les types d'en face jouaient comme dans un jeu vidéo. Une-deux, re-une-deux, feinte de frappe, râteau, talonnade, contrôle de la semelle, petite louche, amorti de la poitrine, coup du sombrero, ouverture en profondeur, épaule contre épaule, crochet, re-crochet, passements de jambes, centre en retrait et reprise de volée au ras du poteau... Mes coéquipiers à l'avant levaient les bras au ciel, dépités. Les plus courageux revenaient pour défendre, taclant comme des bouchers avant de dégager à l'anglaise. Ou essayaient de gratter des fautes imaginaires en se roulant de douleur par terre à l'italienne. Les gosses en face devaient se dire mais c'est qui ces bouffons? D'où ils sortent fringués comme ça? Ils vont à une soirée déguisée ou quoi? Résultat, on s'est pris une branlée monumentale. Au moment de se quitter, on s'est tous serré la main, un par un, comme à la fin d'un vrai match. «Merci, bien joué», nous ont-ils glissé. Je ne sais pas si c'était politesse de leur part ou s'ils se foutaient de notre gueule. Il fallait nous voir, en nage, les cheveux en pétard, les genoux écorchés, les vestes et les mocassins enfarinés de poussière. Et tout sourires, en plus! Comme si on était contents de s'être fait botter le cul! Nous nous fichions du score. Nous étions simplement heureux d'avoir échappé rien qu'une heure au pensum familial.

Le retour n'a pas été triste. Les parents étaient furieux. Ils nous ont tapé dessus comme de vieux coussins pour nous épousseter. Ah bah, c'est malin, se saloper comme ça avant l'église, mais vous avez quoi dans le crâne? Mine contrite de circonstance. Au fond de moi, je jubilais. Pendant une heure, nous avions quitté les pages de la comtesse de Ségur pour nous trouver projetés dans un décor de clip. Nos personnages avaient désobéi à leurs auteurs. Ils s'étaient échappés de leur propre histoire.

Ce souvenir aurait plu à Christian, j'en suis sûr, et il aurait ri d'imaginer ses neveux tirés à quatre épingles en train de batailler contre les gamins de ce quartier défavorisé dont il avait la charge désormais. Son ancienne vie rencontrait la nouvelle, les enfants qu'il aurait pu avoir face à ceux qui seraient les siens désormais.

De l'église je ne me rappelle rien, mais tout le monde m'a dit à quel point c'était fort, ce grand bonhomme allongé par terre, face contre terre, tandis qu'on chantait la litanie des saints. Puis l'évêque et les prêtres, à tour de rôle, lui avaient imposé les mains comme on le faisait déjà il y a deux mille ans dans les premières communautés de Galilée, et il s'était relevé pour recevoir l'étole et la grande chasuble brodée ainsi que le saint chrême.

Un verre avait été servi ensuite dans une cour d'école, et j'ai encore en tête l'image de tous ces Montaigu et ces Quatrebarbes, cravates en soie et pochettes assorties, colliers de perles et jupes crayon, qui se tombaient dans les bras et riaient à gorge renversée, tandis qu'en retrait se tenait toute une foule d'anonymes, femmes à grosses sandales à plateforme et vernis à ongles couleur de bonbon, hommes en jeans délavés et chemisette à carreaux, jeunes avec piercings à l'oreille et coupes en brosse, clodos empestant la vinasse et le papier journal... Et le môme que j'étais se demandait : mais qu'est-ce qu'ils font là, est-ce qu'ils se sont trompés de fête, comme à la mairie, quand deux mariages se télescopent?

Mais non, ils restaient là à mâchouiller des Curly et à tendre leur gobelet en plastique aux bouteilles que les cravates en soie promenaient avec art de groupe en groupe, avant de remercier avec une déférence appuyée.

Tous ceux-là, je le sais aujourd'hui, étaient les ouailles de Christian et habitaient le quartier de Fives. Un faubourg populaire, né dans le sillage de la révolution industrielle, où on pouvait encore apercevoir, au milieu des petites maisons ouvrières ramassées les unes contre les autres, des bicoques à la façade en tôle ou en planches, et les usines en briques rouges dont les cheminées dominaient l'horizon. Mais de ces cheminées, aucune fumée ne s'échappait, la plupart ayant cessé toute activité ou s'apprêtant à le faire. Les filatures, les cotonnières, la métallurgie. Les usines qui fabriquaient les roues des locomotives ou des pièces détachées pour automobiles, celles qui produisaient des frigos ou les toiles des parachutes pour l'armée. Fermées. Délocalisées. La faute à la «mondialisation», commençait-on à dire comme s'il s'agissait d'une maladie mystérieuse mais dont les symptômes, eux, étaient d'une implacable banalité : le chômage, la débrouille, la course aux aides sociales.

Il y a les familles d'ouvriers installées ici depuis des générations, les pères qui rentrent ronds dès midi et les fils qui volent des autoradios et fument de l'héro dans des hangars aux vitres brisées et aux murs recouverts de graffitis, les mères qui jonglent entre les ménages et les gardes d'enfants de l'autre côté des chemins de fer, dans les quartiers cossus de Lille, où on leur donne des vêtements démodés ou rétrécis au lavage dont même leurs gosses ne veulent pas, et les filles qui n'ont d'autre moyen de survivre que de tomber enceinte pour toucher les allocs ou tailler des pipes le soir sur le fauteuil en cuir d'une berline, avenue du Peuple-Belge. Il y a les Maghrébins arrivés dans les années 1960 dont on dit que c'est leur faute s'il n'y a plus de boulot, sauf qu'eux aussi, qui bossaient pour des clous, on a fini par les virer. Il y a les petits vieux qui dépérissent dans les anciennes courées ou les taudis de Wazemmes ou les greniers de maisons murées, et qui n'ont plus personne, hormis les franciscains et le Service évangélique des malades, pour prendre soin d'eux. Il y a les gens du voyage débarqués de Roumanie après la chute de Ceausescu que les forces de l'ordre délogent manu militari dès qu'ils trouvent un terrain.

Et tous ces gens, Christian leur rend visite chaque jour ou les accueille au couvent. Là-bas, on trouve toujours une soupe ou un casse-croûte, un frère avec qui bavarder, prêt à remplir la paperasse. Comment obtenir les minima sociaux, taper un CV à la machine, créer une association et réclamer un terrain en friche. Certains en profitent pour utiliser la douche parce qu'on leur a coupé l'eau. D'autres, sans toit, y passent la nuit. Christian les écoute, et parfois leurs histoires d'une tristesse infinie le mettent hors de lui. Mais il lui faut toujours trouver les mots justes et prendre sur lui. Car tous sont sacrés et dignes d'amour. Tous conservent en eux l'écho de Dieu.

Ah, son Dieu ! Ils ont du mal à y croire. S'il est aussi bon et miséricordieux qu'il le prétend, pourquoi a-t-il laissé leur fils aller en taule pour vol aggravé et le père mourir d'un cancer de la gorge à moins de cinquante balais et la mère sauter des repas et couper le chauffage pendant tout l'hiver afin d'économiser sur les frais d'hôpital, hein, pourquoi ?

Et pourtant, le jour où Christian est ordonné prêtre, ils sont là, au fond de l'église, derrière la foule endimanchée. Ils l'observent, allongé sur le sol aux dalles glacées, au milieu de ces hommes habillés en robe. Ils écoutent les sentences de l'orgue au-dessus de leurs têtes et ces prières qui paraissaient écrites dans une langue étrangère. Ils respirent les odeurs des bougies et d'encens, d'encaustique et de fleurs dont on a décoré l'autel et le chœur. Et, quand vient leur tour, ils se succèdent au pupitre malgré le trac pour dire par quelques mots timides et maladroits toute l'affection qu'ils lui portent.

Ces témoignages bouleversent Christian : il fait partie de leur famille, il est leur frère à eux aussi... Jamais personne ne lui a dit des choses aussi belles. Pas même ses frères de sang ou ses frères de foi, pas même ses amants ou ses fiancées d'antan, pas même tous les vieux potes de Paris ou d'Anjou. Et il a la sensation pour la première fois d'avoir trouvé sa place, ici même, dans cette église, face à ces hommes et ces femmes au service desquels il se consacrera désormais. Toute sa vie, malgré les détours qu'elle a pris, n'a fait que le conduire à cet instant précis où il a cessé de chercher le bonheur en lui pour le trouver dans celui des autres.

33.

Longtemps je me suis imaginé achever ce livre sur cette cérémonie et la fête qui a suivi. Tous ces gens rassemblés autour de lui comme dans le banquet donné par le père pour célébrer le retour du fils prodigue. «Vite, apportez le plus beau vêtement pour l'habiller, mettez-lui une bague au doigt et des sandales aux pieds, allez chercher le veau gras, tuez-le, mangeons et festoyons, car mon fils que voilà était mort, et il est revenu à la vie; il était perdu, et il est retrouvé.»

Telle était la fin que je m'étais promis d'écrire. Parce que c'était une belle fin, mais surtout parce que je voulais que ce soit la mienne. Le terme de cette aventure commencée par une nuit glaciale dans la chapelle de Sainte-Madeleine du Barroux.

C'était oublier les dernières lignes de la parabole : le fils aîné a toujours été présent au côté de son père, fidèle et travailleur, jamais pourtant on ne lui a offert une telle fête. Il est en colère. Le père le supplie de se joindre à eux et de se réjouir. Mais le récit de Jésus s'interrompt là. Est-ce que le frère finit par céder et par célébrer son cadet? Ou est-il décidé à se venger? Christian n'allait pas tarder à le découvrir. Car lui aussi avait un frère aîné. Il en avait même des centaines,

227

désormais. Et cette chance qui lui avait été donnée, d'être recueilli et célébré par le père, il devait finir par la payer.

J'ai voulu retourner à Fives sur les lieux de son ordination. C'est frère Alexis, quatre-vingts ans, qui m'a accueilli à ma descente du train. Les Franciscains ont conservé sur place une petite communauté dont il est encore le gardien. Alexis se trouvait déjà ici au moment des vœux de Christian, et il a tenu à me faire faire un tour du quartier et à me conduire jusqu'à l'église Saint-Louis, un large édifice en béton et briques rouges reconstruit peu après les bombardements de la Seconde Guerre mondiale.

Le temps était maussade et les environs déserts. En face du bâtiment, une petite place à l'herbe piétinée et l'entrée de l'ancienne usine FCB. Alexis a essayé de pousser la porte de l'église. En vain. Il a semblé agacé : le lieu de culte était censé être ouvert à cette heure-là ; il ne savait pas vraiment à qui s'adresser pour les clés. «L'avenir de Saint-Louis est de plus en plus incertain, m'a-t-il expliqué. Deux églises pour le quartier, c'est trop, malheureusement. Déjà qu'il n'y a pas foule à la messe du dimanche. Ils parlent d'en faire un centre culturel ou une salle de sport. C'est comme ça, hein, qu'est-ce que tu veux y faire ?»

On a fini par renoncer à l'église. Je souhaitais revoir le lieu où avait été organisé le verre après la cérémonie. Je n'avais que des photos pour l'orienter. On a tourné dans les rues alentour avant de trouver une cour d'école conforme aux clichés. Des gamins jouaient sous le préau ; de grands dessins bariolés ornaient les murs.

Bientôt la cloche a sonné. On était seuls, au beau milieu de l'aire de jeu. Je ne savais plus ce que j'étais venu chercher ici. Rien ne me rappelait cet après-midi de février trente ans plus tôt. Fives avait beaucoup changé. Les jeunes étaient partis chercher du boulot ailleurs ; les parents étaient morts ; les bobos avaient commencé à réaménager les maisons délabrées et les bâtiments industriels en lofts. Désormais, c'étaient les réfugiés dont il fallait s'occuper. Ceux du Mali, ceux de Guinée, qui avaient traversé la Méditerranée sur des rafiots de fortune et qui espéraient passer en Angleterre. Un malheur en remplaçait un autre ; c'était toujours la même histoire.

Pour le déjeuner, Alexis m'a accueilli avec ses frères au couvent. Aucun n'avait souvenir de l'ordination de Christian sauf un. Un vieillard chétif, ratatiné sur sa chaise, qui devait bientôt partir à la retraite dans leur maison de Nantes.

«Je me rappelle qu'il y avait tout un groupe d'Allemands. C'étaient des barons de je ne sais quoi et des princesses de machin chose. Ils avaient débarqué avec leurs grosses Mercedes et leurs BMW. Il fallait voir ça, la cour des Habsbourg qui se déplace à Fives. Les gosses du quartier n'en revenaient pas. Au retour de la cérémonie, les Allemands ont retrouvé leurs voitures vandalisées. Les rétroviseurs arrachés, les carrosseries rayées, les pneus dégonflés. Christian faisait une tête ! Il était embêté pour ses amis. Mais aussi vis-à-vis des habitants. Il ne voulait pas donner l'impression d'être différent d'eux. Ici, il vivait avec trois fois rien, au jour le jour. C'est pour ça que les gens se sentaient si proches de lui. Il leur ressemblait. Saint François a voulu que ses frères soient pauvres car la richesse sépare des autres. Elle laisse croire qu'on peut être à l'abri du sort. Qu'on peut tenir à distance la souffrance du monde. Mais ce n'est pas vivre en pauvre qui compte, c'est regarder le monde à travers leurs yeux. C'est accepter de dépendre les uns des autres. La fortune, le pouvoir, la beauté : tout passe. Tout peut nous être enlevé du jour au lendemain. La seule chose que l'on possède vraiment, c'est le don de soi-même. Et ton oncle à Fives en était l'incarnation parfaite. »

Voir le monde à travers les yeux des pauvres, reconnaître le Christ en eux, j'en étais loin encore. L'entrevoir dans les colonnes de lumière d'une cathédrale, sur une toile de Bellini, devant un chœur de bénédictins chantant une antienne en grégorien, ce n'est pas difficile. Mais le trouver dans le regard d'un clochard, un estropié, un lépreux dont la peau se détache par lambeaux comme le fit saint François, ça non, je n'y arrivais pas.

Quand je croise dans les rues de Buenos Aires des gamins aux côtes saillantes et aux jambes comme des allumettes, pieds nus dans une benne à ordures, en train de chercher un quart de moitié de sandwich ou une pomme dévorée de moisissures, ou ceux poussant d'immenses *carritos* remplis à ras bord de cartons et de plastiques au milieu des klaxons agacés et des fumées d'échappement, quand je tombe sur des corps effondrés au beau milieu du trottoir, les yeux injectés de sang à cause du *paco*, et qui quémandent quelques pesos d'une voix suppliante, je ne ressens pas seulement de la pitié mais de la peur. Comme si leur

230

malheur était contagieux. Même quand je leur laisse un billet, même quand j'adresse deux ou trois phrases de rien du tout, je n'ai qu'une hâte, c'est d'être loin. Leur misère, je n'ai pas le courage de la contempler en face. Elle m'abîme de l'intérieur.

«C'est humain, m'a répondu frère Alexis. Ce n'est pas facile de se vaincre soi-même. Christian avait du mal, parfois.»

Je me suis souvenu alors de la phrase terrible qu'avait eue Christian devant une de ses amies : «Le plus dur dans la pauvreté, c'est la laideur.» Oui, il arrivait que la laideur épuise sa patience. Décourage son amour. Alors, il rendait visite à son amie dans un appartement cossu du centre de Lille et se servait un verre de whisky hors d'âge. «Bichette, je viens me faire un shoot de beauté et je repars», déclarait-il plein de panache. Lui qui avait été si sensible aux beaux vêtements, aux jolis meubles, aux éphèbes, comment faisait-il? Comment avait-il la force de repartir? Pourtant, c'est parmi les crève-la-faim qu'il trouvait son bonheur. C'est au milieu d'eux qu'il se sentait le plus proche de Dieu.

«Oh, tu sais, ce n'est pas comme ça que ça se passe, m'a coupé Alexis. Nous aussi, on doute. On n'a pas le moral. Une vie de foi, c'est une épreuve de tous les jours.

— Christian aussi, il lui arrivait de douter? je lui ai demandé.

— Ah, ton oncle, ce n'était pas quelqu'un de facile. Il avait du charisme, de l'énergie, il aimait rigoler, mais à côté de ça il y avait des périodes où ça n'allait pas fort du tout. Il était triste. Il broyait du noir. Le week-end, il allait souvent se reposer chez un couple de tertiaires franciscains où il passait sa journée à dormir et à méditer seul dans sa chambre. Dans ces moments-là, on ne savait pas vraiment ce qui se trouvait dans sa tête. C'était son caractère. Il avait des hauts et des bas. Et puis au fond, je crois qu'il n'avait jamais eu très envie d'être prêtre. C'est parce que le provincial le lui a demandé qu'il est entré au séminaire. Le problème, c'est qu'on manque de curés dans les paroisses. Il faut bien que certains s'y collent. Mais ça l'emmerdait, revenir à l'école à quarante balais. Il me disait : tu comprends, je suis trop vieux, j'ai le cerveau complètement sclérosé, déjà que j'ai ramé pour avoir mon bac… C'est que c'est calé comme formation. On n'imagine pas. La philo, la théologie, saint Thomas d'Aquin. Moi, ça me dépasse. On n'est pas des intellos chez les Franciscains. Ça, c'est plutôt les Jésuites. Ou les Dominicains. Mais ton oncle, il se débrouillait drôlement bien. Ah ça, oui. Tu as déjà entendu ses homélies ? C'était quelque chose. Il parlait devant deux cents personnes et t'avais l'impression qu'il s'adressait à toi personnellement. Rien qu'à toi. Ça me donnait la chair de poule.

— Mais tout le monde m'a raconté à quel point il était heureux le jour de son ordination, l'ai-je coupé.

— Oui, il était heureux, parce qu'il y avait sa famille, les frères et les gens du quartier, c'était émouvant, cette foule qui s'était déplacée pour lui, mais il avait peur aussi.

— De quoi ?

— Que ça le change. De perdre le contact direct avec les gens. Lui ne voulait pas stagner dans le petit confort de sa paroisse, s'occuper toujours des mêmes gens, obéir à l'évêché, c'était pas du tout son truc. Il avait besoin d'être dans l'action. Il en faisait trop parfois. Il participait aux assos, aux groupes de prière, il s'occupait des jeunes, encadrait des pèlerinages, il a même intégré le Comité Grand Lille de Pierre Mauroy qui voulait un représentant de l'Église. Il prenait tout tellement à cœur. Quand ça coinçait, si on lui mettait des bâtons dans les roues ou si on n'était pas d'accord avec lui, il se braquait. Il le prenait personnellement. Il piquait de ces gueulantes. Ouf... Valait mieux ne pas être dans les parages. On lui disait calme-toi, ça sert à rien de te mettre dans cet état, mais lui... Il était buté, il voulait rien entendre. Il ne comprenait pas que les choses n'aillent pas aussi vite qu'il l'aurait voulu. Il rêvait d'être pur et sincère comme saint François. Mais il y a la hiérarchie, l'administration, les injustices au quotidien. Ça le foutait en l'air. C'est ce qui a fini par le tuer.

— Qu'est-ce que tu veux dire, le tuer?

— Je ne sais pas... mais ce cancer, si jeune, il n'est pas arrivé par hasard. Il avait tellement pris sur lui. Il avait tellement souffert, parfois même à cause de ses propres frères. Tu sais, sa vie, comme celle de beaucoup de saints, ç'a été un chemin de croix.»

34.

Sa vie, comme celle des saints, a été un chemin de croix... J'avais du mal à y croire. Sur les photos, après sa conversion, il rayonnait de joie. Dans les interviews, tous me racontaient qu'il avait enfin trouvé sa voie. Alors par quelle brèche la vieille douleur était-elle remontée ? Parce qu'il s'était résigné à être prêtre ? Parce qu'il avait rencontré des obstacles dans sa mission ? C'était un peu court, comme explication.

Envoyé à Bordeaux pour fonder une nouvelle fraternité, après cinq années passées à Fives, il a écrit à un de ses amis que son rêve se réalisait enfin. C'était comme revenir aux premiers temps de saint François, quand les frères habitaient dans des huttes de branchages et vivaient de cueillettes et d'aumônes. Un jour, le Poverello les avait réunis : il était temps pour eux de s'en aller de par le vaste monde prêcher la bonne parole et vivre selon l'Évangile. Il avait pris un premier compagnon par les épaules et l'avait fait tourner sur lui-même jusqu'à ce qu'il tombe dans l'herbe. Quand celui-ci avait relevé la tête, il lui avait demandé : dans quelle direction es-tu tombé, mon frère ? Pise, avait répondu celui-ci. Alors c'est à Pise que tu dois te rendre. François avait recommencé avec un deuxième, puis un troisième et ainsi de suite, jusqu'à ce que chacun d'eux sache de quel côté il devait partir. Alors tous ces petits bonshommes s'étaient égaillés à travers la plaine, pieds nus et sans provisions, là où le destin les appelait.

Christian et trois frères franciscains, eux, sont partis avec une simple valise ou un sac à dos, direction la gare Saint-Jean.

La première nuit, ils ne trouvent pas refuge dans un four à pain ou sous le porche d'une église à l'instar des compagnons de François, mais chez des bonnes sœurs à la porte desquelles ils vont frapper. Elles acceptent de leur donner l'hospitalité un mois, pas un jour de plus. Le temps pour eux de s'organiser. Les frères ne connaissent personne sur place, ils ne savent par où commencer, mais ils sont animés par un tel élan que rien ne les effraie.

Christian dégote, par l'entremise d'une association, un rez-de-chaussée et un premier étage sur la place Saint-Michel, un quartier cosmopolite. En passant quelques coups de fil à des parents de parents qui vivent dans la région, il le meuble pour trois fois rien. Aménage un oratoire dans la cave et une salle à manger avec une large baie vitrée donnant de plain-pied sur ce carrefour populaire où se mêlent brocanteurs et vendeurs à la sauvette, marchands de fruits et légumes, et épiciers nord-africains. Au centre, s'élève une église que fréquentent la communauté portugaise et les descendants d'Espagnols ayant fui la guerre civile. Le soir, c'est un coupe-gorge, mais Christian n'en a cure. Ce qui lui plaît, c'est d'être au contact des marginaux et des petites gens. Que chacun puisse taper à leur porte. Et puis, il y a l'histoire des lieux, bien sûr. Les Franciscains s'étaient établis à Saint-Michel avant d'en être chassés à la Révolution. Quelques rues en conservent le souvenir, comme celles de l'Observance et de Saint-François, ou encore la place des Capucins. Des noms qui n'évoquent plus rien à personne, de simples adresses que l'on écrit machinalement sur les enveloppes ou les formulaires administratifs, des plaques devant lesquelles on passe sans imaginer que ce nom cache des siècles d'histoire. Christian le sait : ce monde-là n'existe plus. Et pourtant lui a la folle ambition de le ramener à la vie.

Et le plus fou, c'est qu'il y arrive...

Très vite, les habitants du quartier se prennent d'affection pour ces vieux garçons avec leur grosse croix en bois autour du cou, qui tiennent table ouverte. Le reste de la journée, chacun travaille – Christian comme prêtre et aumônier de lycée; un autre comme manutentionnaire dans une usine; un troisième comme auxiliaire dans un centre pour handicapés, façon pour eux de garder leur indépendance financière –, mais tous se retrouvent dans la grande salle à manger ouverte sur la place pour partager leurs repas avec des familles musulmanes ou des propriétaires de vignobles du coin, de vieilles paroissiennes portugaises ou des jeunes proches des mouvances anarchistes, très présentes dans le quartier. On ne sait jamais en poussant la porte sur qui on tombera. Un copain de la haute de Christian ou un sans-papiers. Une grenouille de bénitier ou un punk à chien. Même les fous, les cas difficiles, on les accueille. Christian, en tant que gardien, ne veut refuser l'entrée à personne.

Dieu en revanche prend rarement place à table. Il préfère rester discret. On le rencontre seulement dans l'oratoire où chacun est invité, s'il le souhaite, à partager les offices avec les frères ou à recevoir un accompagnement spirituel. Pas de prosélytisme ici. Pas de bourrage de crâne. La seule règle, c'est l'écoute. La présence. La compassion. Incarner le Christ non dans les mots mais par l'exemple. François disait qu'il ne faut jamais se placer au-dessus des gens, tel le prêtre déclamant son sermon depuis sa chaire, mais s'exprimer de sorte qu'un enfant puisse vous comprendre. Rendre la foi concrète. Ramener Dieu sur terre. Le jongleur de Dieu, près de mille ans plus tard, n'a jamais semblé aussi moderne.

Christian s'irrite, le dimanche, de la présence des groupes charismatiques qui chantent à tue-tête «Jésus est ressuscité! Jésus t'aime!» devant des mères de famille maghrébines éberluées. Les voisins du quartier lui demandent: mais c'est qui, ces zozos-là? Et Christian leur donne cent fois raison: l'Évangile, ça ne se déclame pas, ça se vit. Sans quoi, on n'est pas différent des Hare Krishna avec leurs tambours et leurs colliers en toc ou des politiques qui distribuent des tracts le dimanche entre trois camemberts et deux guirlandes de saucissons.

Les franciscains ne cherchent pas à séduire, et pourtant tout le monde les aime. Le boucher de la place leur fait cadeau de faux-filets ou d'escalopes de veau. Le coiffeur rase gratis et leur envoie ses clients qui se posent des questions existentielles. Les épiciers tunisiens les invitent à prendre le thé et les régalent de baklavas. Le caricaturiste du coin leur offre des dessins pour décorer les murs de leur appartement, dont leurs propres portraits qui font beaucoup rire les visiteurs. Quant aux jeunes qui traînent le soir, jamais ils ne leur cherchent de noises. Mieux : quand tous les rideaux de fer des magasins sont tagués et les vitrines brisées, les leurs demeurent toujours intacts. Parfois même, les gamins les accostent pour leur vendre du haschich. « Allez, mon père, c'est du marocain. Il vient direct du pays. » Ils adorent voir les prêtres débarquer dans leur vieille Merco des années 1970 aux sièges en cuir rembourré que le garagiste leur a prêtée. « Oh, téma, voilà les caïds du quartier ! »

Une journée dont ils se souviendront, c'est l'ordination de Nicolas, le plus jeune d'entre eux. Tout le monde s'y était mis pour arranger l'église : les Portugaises, les cathos à serre-tête, les commerçants maghrébins. Ballet surréaliste au milieu duquel on pouvait apercevoir, debout sur un escabeau, une femme voilée en train d'épousseter une statue de la Vierge Marie avec son plumeau. La nef et ses collatéraux étaient remplis de fleurs, de bougies, de centaines de ballons de baudruche que les enfants avaient lâchés sur le parvis à l'issue de la cérémonie. Il fallait voir les grappes multicolores montant au ciel, et les gamins ébahis : mais où vont tous les ballons une fois qu'on ne les voit plus ?

S'était ensuivi un grand gueuleton sur la place où chacun avait apporté sa contribution, qui une table, qui des chaises, qui des jus de fruits, qui un couscous, qui de la tortilla ou une quiche lorraine. Et du bordeaux évidemment. Beaucoup de bordeaux. C'était jour de fête. Ce que les frères avaient accompli en deux ans, personne ne l'aurait cru possible. Et leur récompense, cet après-midi-là, se trouvait dans tous ces visages, ces victuailles offertes, cette gaieté partagée, comme un écho au grand banquet de l'Évangile, lorsque le maître, dont les riches amis ont refusé l'invitation, convie à leur place les humbles et les pauvres hères rencontrés sur les chemins.

Heureux ceux qui prendront leur repas dans le royaume de Dieu.

Cette ouverture aux autres religions, c'est un héritage de saint François encore. Le saint est parti prêcher en Orient avec quelques frères quand il est arrivé devant la ville de Damiette assiégée par les croisés qui souhaitent l'accès aux lieux de pèlerinage en Terre sainte. Afin d'éviter un carnage, François s'est mis en tête de rencontrer le sultan Al-Kamil, retranché dans la forteresse, pour le convaincre de se rendre. Tout le monde a crié au suicide, mais François est passé outre. Les gardes musulmans, estomaqués de voir un homme seul s'avancer sous les remparts, l'ont laissé entrer dans l'enceinte et escorté jusqu'au sultan. François alors est tombé à genoux, l'implorant de céder Damiette et de se convertir. Qu'on coupe la tête à cet impie ! se sont indignés les sbires d'Al-Kamil. Mais ce dernier, touché par la foi et la naïveté du vagabond si pauvrement vêtu, ne les a pas écoutés. Au contraire, il a offert de l'or et des terres à François pour se rallier à lui et, devant son refus, l'a fait reconduire au camp adverse. Les soldats croisés sont stupéfaits de voir revenir

François vivant. Al-Kamil a proposé une pièce d'or pour chaque tête de chrétien, et lui, on ne l'a même pas touché!

Pour Christian, la croisade se déroule place Saint-Michel où se multiplient les contrôles au faciès et les arrestations de sans-papiers. La police est partout; certains disent que des agents surveillent le quartier avec des jumelles, postés en haut du campanile. Les étrangers doivent ruser pour les esquiver et atteindre la thébaïde des franciscains. Christian décide d'écrire une tribune dans *Sud-Ouest* fustigeant le flicage et l'attitude de la préfecture.

Le lendemain, surprise : le maire de Bordeaux en personne, Alain Juppé, vient sonner à leur porte. À ses côtés, le capitaine des CRS et le sous-préfet. «J'ai lu votre tribune, j'aimerais en discuter avec vous, ça ne vous dérange pas si l'on entre, j'ai apporté des croissants.» Et voilà Juppé qui tend à Christian un sac de viennoiseries et s'installe sur une chaise. Les frères n'en mènent pas large devant l'édile, qui sera bientôt Premier ministre. Christian, lui, se comporte comme si de rien n'était. Les riches, les puissants, il a l'habitude. Alors il expose sans ambages son point de vue à Juppé. Tous ces contrôles, ça ne peut pas durer. Ce n'est pas digne d'une démocratie. À ce moment précis, un Algérien qui a ses habitudes chez les franciscains passe la tête à la porte. En apercevant tous les shérifs, il prend peur et tourne les talons. Mais Christian le hèle : «Ah, Nadir. Viens t'asseoir avec nous. Monsieur le maire nous a apporté des croissants chauds. Ils sont *superbes* !»

Dans les jours qui suivent, les contrôles au faciès cessent à Saint-Michel. Un fait d'armes qui vaudra à Christian le fameux portrait dans *Sud-Ouest*. Une pleine page, avec sa photo, où il raconte le chemin parcouru depuis sa jeunesse décousue.

La consécration. Mais aussi le début des emmerdes. Car cet article fait jaser. Les Franciscains sont connus pour être discrets. Cette publicité, ils s'en seraient bien passés. Et puis, quel besoin de raconter les drogues, les boîtes de nuit, les moments où il pouvait «sombrer dans n'importe quoi», comme il est écrit... Ils savaient que Christian avait eu un passé avant d'entrer chez les Franciscains, mais ce grand déballage, c'est un peu fort de café ! La plupart à vingt ans étaient déjà sûrs de leur vocation. Ils ont quitté leur aube d'enfant de chœur pour enfiler la robe de bure des frères mineurs. Leur foi a toujours été un bloc de pierre quand celle de Christian s'est construite sur un tas de poussière. Et c'est cet homme leur gardien ? C'est cet homme auquel ils doivent se fier ?

Cette part d'ombre chez Christian les effraie. Elle les conforte dans le sentiment qu'il n'est pas tout à fait comme eux. Il vient *d'un autre monde*. Il y a ce nom d'abord, cette langue un peu fleurie, cette aisance naturelle des bien-nés. Et puis ses fréquentations bordelaises. Pas seulement Juppé ou monsieur le préfet. Non, ça a commencé bien avant, avec le groupe qui se réunit tous les premiers vendredis du mois dans un petit resto de l'avenue Thiers. Une sorte de Rotary où se côtoient les vieilles familles aristos et la bonne bourgeoisie bordelaise. Des assureurs, des médecins, des types dans le commerce du vin. Ils souhaitaient une espèce d'aumônier parmi eux, Christian a accepté. En échange de quoi ils mettent la main à la poche après chaque agape pour financer une œuvre des Franciscains. À présent, il baptise leurs filles et marie leurs fils. Il accompagne les parents dans les épreuves, le suicide d'un cadet ou une épouse en phase terminale. Tout le monde se souvient encore de la rage qu'il a mise à sauver une riche famille protestante des mains d'un gourou décidé à les plumer. Mais pourquoi eux plutôt que les enfants perdus de la place Saint-Michel? Pourquoi ce temps sacrifié à des familles privilégiées? Certains ne comprennent pas...

Le dandy n'a pas tout à fait disparu sous la soutane. Christian aime ça, de temps en temps, le grand monde, les bons mots, les alcools hors d'âge. Ancien réflexe de classe. Et puis les gens de la haute l'adulent, se l'arrachent à dîner, l'invitent en week-end. Il a même amené ses frères se reposer dans la chartreuse de Montesquieu qu'on lui a prêtée pour les vacances. La chartreuse de Montesquieu, mon vieux! Ça t'en bouche un coin.

Dans les châteaux du Bordelais ou les squats de Saint-Michel, Christian reste le même. Fidèle à sa foi. La même qui faisait dire à saint Paul devant les païens ou les lettrés des synagogues qu'il n'y a ni juif ni grec, ni esclave ni homme libre, ni masculin ni féminin, car tous vous ne faites plus qu'un dans le Christ.

Idéalisme de sa part? Sans doute. Il a le même rêve que François de transcender les classes sociales. Hélas, on n'efface jamais tout à fait ses origines. Les mots, les références, les gestes eux-mêmes le trahissent.

Sa haute taille impressionne. Son aplomb effarouche. Son emphase agace. «Ah, c'est superbe! C'est superbe!», répète-t-il souvent comme s'il dégustait les syllabes. Quand on est avec lui dans la même pièce, on se sent rétrécir. Ce n'est pas qu'il le fasse exprès; il n'a pas conscience qu'il s'exprime avec autorité ni qu'il brusque ses frères parce qu'ils n'en font pas assez. Il lui arrive de leur passer des soufflantes quand il les trouve affalés le soir devant des émissions à la con ou qu'ils rapportent des grandes surfaces des produits qu'il juge superflus, tel ce micro-ondes flambant neuf devant lequel ils roulent des yeux émerveillés de gosses.

Évidemment, c'est facile pour lui, songent-ils : la pauvreté, c'est un continent qu'il découvre à peine. C'est encore exotique. Tandis qu'eux, ils sont nés dedans. Ça n'a pas été une vocation mais un destin. On peut toujours se choisir une vie humble, ce n'est pas la même chose de la subir. Et ceux qui la subissent ne se réjouissent jamais d'être dans la mouise. La joie parfaite comme saint François, c'est bien joli sur le papier, mais dans les faits, il faut un effort surhumain pour accepter les privations et les coups du sort et les injustices sans se plaindre. Alors oui, ils ont des rêves de pauvres comme de s'acheter un micro-ondes ou de s'abonner à Canal + pour regarder le football. Dans leur milieu, les gens se sont toujours comportés de la sorte. Et il voudrait leur expliquer la vie?

La situation finit par dégénérer à cause d'une brou-tille : la machine à laver a de nouveau rendu l'âme. C'est Christian qui a insisté pour en récupérer une de seconde main. Mais si c'est pour qu'elle tombe tou-jours en rade! Frère Daniel fulmine : chaque soir, il doit laver son bleu de travail après l'usine. Il rentre vanné de sa journée, et voilà que Christian lui fait encore la morale. Non, pas question d'en acheter une neuve, on a besoin de l'argent pour d'autres urgences. Merde! Il le fatigue. Dans les familles d'ouvriers comme la sienne, on achète toujours du costaud, pour que ça dure justement, pas de la camelote à deux francs six sous. Christian n'en démord pas : l'usine, le boulot, très bien, mais ils sont d'abord des franciscains; ils doivent suivre la règle de leur fondateur et vivre dans le dénuement. Le dénuement! Le dénuement! Ça va finir par leur coûter plus cher en réparations, son histoire. Il a la tête farcie de grandes idées mais aucun sens des réalités. Qu'il se démerde avec sa machine, lui, il va à côté chez les Tunisiens laver ses fringues.

Christian le lendemain vient frapper à sa porte pour s'excuser. Il s'en veut, il s'est laissé emporter. Le plus important, c'est qu'ils vivent en harmonie comme des frères. Alors c'est d'accord pour la machine, ils iront en acheter une neuve dès que possible.

Mais le ver est dans le fruit. Il grignote la confiance si patiemment établie. Dans une lettre, Benoît, un autre de ses frères, lui écrit à propos de Daniel : «Tu connais ses complexes et sa peur de se retrouver sous la coupe des prêtres. Je ne t'apprendrai pas non plus que culturellement et naturellement tu symbolises pour lui et pour d'autres le pouvoir. Ce qui peut faire peur.»

Christian a l'idée de recourir à une psychosociologue. Chacun devant ses compagnons livre ce qu'il a sur le cœur. Christian est mortifié : il y a un tel décalage entre la manière dont ils le perçoivent et ce qu'il désire être au fond de lui. C'est comme s'il était deux personnes à la fois : celui qui a sa propre vie intérieure et celui qui se trouve défini par le regard des autres. Son moi spirituel et son moi social. Comment faire coïncider les deux ? Il promet de s'amender, de faire des efforts, de consulter plus souvent ses frères pour mettre à plat leurs différences. Hélas, l'expérience tourne court. Il est brutalement rappelé à Paris. Pour quelle raison ? La chose demeure obscure. Une décision du provincial, me dira-t-on. On avait besoin de lui au couvent de Paris. Les franciscains changent souvent de communauté, c'est le principe même de leur mission. Il n'y a rien d'étrange là-dedans.

Son histoire à Bordeaux aurait pu s'achever là. Sur ce brusque renvoi. Et puis, de coup de fil en coup de fil, j'ai fini par tomber sur un curé franc-tireur qui avait quitté l'évêché pour organiser des messes itinérantes. Un curé qui avait bien connu Christian et qui avait même célébré un mariage en sa présence entre un catholique et une soufie. Pourquoi Christian lui a-t-il confié l'incident fatal et pas à un autre ? Je ne sais pas. Toujours est-il qu'il m'a raconté la nuit où le destin de Christian s'est joué.

35.

Une nuit d'été brûlante. L'orage menace dans le ciel, au-dessus de l'estuaire. Comme souvent, depuis quelques semaines, Christian ne trouve pas le sommeil. Trop de choses se bousculent dans sa tête. Des listes de trucs à faire, des idées qu'il faudrait noter avant qu'elles ne s'évaporent au réveil. Les fantômes du passé...

Il finit par se lever et descendre dans la cuisine pour avaler un morceau. C'est son péché mignon, le sucré. La seule manière d'apaiser ses angoisses. De remplir le vide et la solitude où il se sent si souvent aspiré. Alors il dévore des sablés saturés de beurre, ceux que sa mère avait coutume de lui acheter dans son enfance, et qu'elle tenait enfermés dans une grande boîte en fer-blanc. Un gâteau dans une main, un roman policier dans l'autre, il se vide le cerveau. Son vieux pull râpeux est étoilé de miettes mais il s'en rend à peine compte, tout à son plaisir coupable. Il n'entend même pas les premiers coups à la porte. Ils se fondent dans les grondements du tonnerre au loin. On frappe de nouveau. Son cœur se serre. Cette fois, c'est certain, il y a quelqu'un dehors.

Il hésite à aller voir. Et si c'était un drogué de la place qui venait leur tirer du blé. Ou un de ces déséquilibrés entre deux séjours en HP. Les frères lui reprochent assez souvent d'accueillir n'importe qui. Des types ingérables qui foutent le boxon ou les menacent physiquement. Ces gars-là, c'est d'un médecin qu'ils ont besoin, lui disent-ils. Pas d'eux! Christian se dit, ce n'est pas très chrétien, on ne peut pas les laisser dehors comme ça... Alors cette fois encore il y va. Les coups redoublent, toujours plus forts, plus impatients. «À l'aide, crie-t-on, ouvrez-moi!» Une femme. Elle a l'air paniquée. «S'il vous plaît. On m'a attaquée.» Christian tourne le verrou et la fille se jette sur lui. Une bourrasque de cheveux sombres et bouclés. Une odeur âcre de parfum bon marché. «S'il vous plaît, laissez-moi entrer. Sinon il va me trouver.» «Qui ça, il? Qui vous a attaquée?» La fille ne répond pas. Elle reste collée contre sa poitrine, tremblante. Un petit animal effarouché.

Christian jette un œil dans la rue et ferme la porte. Puis il la conduit dans la salle à manger. «Chut. Il ne faut pas faire de bruit. Mes frères dorment là-haut.» Elle a les paupières gonflées par les larmes, la joue rougie comme si on venait de la frapper. «Là, installez-vous sur le canapé, dit-il, je reviens», et il rapporte des glaçons enroulés dans un torchon qu'il applique sur sa blessure. «Ça va? Je vous fais mal?» Elle répond non par un signe, la tête dans les épaules, les bras serrés sur son blouson en similicuir. En s'asseyant, sa mini-jupe est remontée sur ses cuisses et elle colle ses genoux pour cacher son entrejambe. Mais Christian ne peut en faire abstraction. Il se rend compte à quel point la situation est étrange. Cette jeune inconnue apeurée et lui, seuls sur le canapé dans le silence d'une nuit percée d'éclairs. Il lui demande, en s'efforçant de ne pas la brusquer, ce qui s'est passé. Est-ce qu'elle peut lui raconter? Elle bredouille à propos d'un type dans la rue qui voulait lui voler son sac, elle s'est défendue, il l'a frappée. Mais Christian n'est pas dupe. Une fille seule, à cette heure, place Saint-Michel, attifée comme ça... Il soupçonne une embrouille de fric avec son proxénète, une soirée creuse à arpenter le trottoir et lui, ivre et défoncé, qui se défoule sur elle. Il ne dit rien. Il ne veut pas l'accabler. Que faire maintenant? Les flics, il n'en est pas question. Il ne peut pas la laisser repartir non plus. Le type est sans doute en train de tourner dans le quartier. «Vous pouvez rester ici quelques heures si vous voulez, le temps de vous reposer. Je vous raccompagnerai chez vous demain matin, avant que mes frères se lèvent. Il ne faudrait pas qu'ils vous trouvent ici, vous comprenez.»

Il va lui chercher un couvre-lit à l'étage et lui improvise une couche sur le canapé. Elle continue de tressaillir, recroquevillée sur elle-même, comme si son mac allait défoncer la porte d'une minute à l'autre. Christian non plus n'est pas rassuré. Tout le monde connaît les franciscains ici. Tout le monde sait qu'ils accueillent tous les paumés et les crève-la-dalle du quartier. Où pourrait-elle s'être réfugiée à cette heure, alors que les bars sont fermés? Si le type débarque, il risque de faire du raffut. Il peut s'en prendre à la vitrine. Est-ce qu'il fera le poids, face à lui? Il faut qu'il éteigne. Donnant l'impression que tout le monde dort dans la maison.

L'obscurité tombe sur la pièce. Il entend là-bas sur le sofa la respiration saccadée de la fille. Le ciel qui craque par instants. Il n'ose plus bouger. C'est peut-être mieux s'il reste en bas, à ses côtés. Il la réveillera avant que les autres descendent pour le petit déjeuner. Il la conduira dans sa famille à elle pour être certain qu'elle est en sécurité. Personne n'en saura jamais rien. De toute façon, il n'a pas sommeil. Alors il reste debout dans le noir comme si l'immobilité pouvait figer le cours du temps. Les garder à l'écart du danger. «Qu'est-ce que vous faites?», lui demande-t-elle. «Ne vous inquiétez pas, je suis là, répond-il simplement. Je suis là.»

Comment ont-ils fini par découvrir qu'elle avait dormi là? Mystère. Tous les frères m'ont dit : Non, jamais entendu parler de cette histoire. C'est ce prêtre réfractaire, dont il avait été proche à l'époque, qui m'a rapporté l'incident. Si personne d'autre n'en a parlé, c'est qu'on ne souhaitait pas ébruiter l'affaire. Mais on en tirerait quand même les conclusions qui s'imposent : deux semaines plus tard, Christian était rappelé à Paris. Sans consultation. Sans préavis. Parce que soi-disant on manquait d'effectifs au couvent principal.

Tu parles. Son sort s'était joué là, dans le clair-obscur de cette aurore estivale, alors qu'il quittait en catimini la maison, accompagné de la fille. Une grande perche dégingandée, avec son pull à coudières et sa grosse croix franciscaine, et une petite tapin maro-caine, encore tremblante de peur, qui claudiquait sur ses talons : comment ne les aurait-on pas remarqués?

Ils avaient traversé la place vide, qui gardait encore la fraîcheur de l'orage nocturne. Passants clandestins dont les vies allaient bientôt se séparer comme si cette nuit n'avait été qu'un songe. Sauf que cette nuit, d'autres s'en souviendraient, d'autres la retiendraient contre lui. Un homme de Dieu avec une putain s'enfuyant en cachette d'un appartement au petit matin : pas besoin de sous-titres. Et même s'il ne l'avait pas touchée, même s'il n'avait fait que l'héberger, le vent du scandale s'était déjà engouffré chez eux. Une femme, une prostituée avait dormi dans leur maison, et il le leur avait caché, c'était de la provocation, c'était de l'inconscience ! On ne pouvait tolérer ça !

Est-ce qu'ils craignaient pour leur réputation ? Est-ce qu'ils avaient peur d'être confrontés à leurs propres démons ? Pas une seconde ils ne songent que cette histoire devrait leur en rappeler une autre. Cette histoire, ils l'ont déjà lue des centaines de fois. C'est celle de Jésus et de Marie Madeleine. Le sauveur et la pécheresse. Celle que Christian avait tant priée à Vézelay et qui était venue frapper à sa porte par une nuit d'été orageuse.

Ce départ, pour Christian, c'est un vrai crève-cœur. Il a tant donné pour cette fraternité. Il a tant travaillé pour la faire vivre. Il se souvient encore de leur arrivée, quatre ans plus tôt, à la gare Saint-Jean, avec leurs baluchons et un simple numéro de téléphone griffonné sur un bout de papier, celui des sœurs franciscaines missionnaires de Marie. Leur insouciance alors, leur joie. Ils avaient réussi, sans un sou en poche, à monter cette communauté, à gagner la confiance des habitants, à donner une nouvelle âme au quartier. Et maintenant? Tous ces jeunes, toutes ces vieilles, toutes ces familles dont il s'était occupé, qu'allaient-ils devenir?

Si seulement il pouvait recommencer ailleurs... Mais non. On le rapatrie rue Marie-Rose à Paris. Vicaire de la communauté. Gérer le fonctionnement de la maison. Les messes, les réunions. Un travail de planqué, loin de la réalité du terrain qu'il aime tant. Et puis se retrouver sous la férule de ce vieux provincial tatillon, qui souhaite toujours que demain ressemble à hier et a en horreur les fortes têtes. Difficile de ne pas y voir une punition.

Il a dû gueuler, demander des comptes, et je ne suis pas sûr qu'on lui ait dit la vérité. Il s'en doute, bien sûr, mais il ne peut se risquer à mettre l'affaire sur le tapis. S'ils n'en savent rien, ce sera pire encore. Après tout, cette décision était peut-être actée depuis longtemps. Les plaintes répétées de ses frères, ses velléités de réforme, tout ce tapage autour de sa personne : sa hiérarchie a décidé d'y mettre un terme. De le rappeler à son devoir d'obéissance.

Il refuse de se laisser abattre, pourtant. Puisqu'il est à Paris, autant qu'il donne le maximum. Dès que ses fonctions le permettent, il prend le train jusqu'à Sangatte où affluent les premiers migrants, venus d'Afghanistan ou du Kosovo, qui rêvent de passer en Angleterre. Ce n'est pas encore la jungle de Calais, mais un immense hangar géré par la Croix-Rouge où vont transiter des dizaines de milliers de clandestins dans des conditions indignes. Le froid, la promiscuité, les bagarres, les gamins qui ont perdu un bras ou une jambe après avoir essayé de monter sur un train, et qui racontent les autres, morts, électrocutés, qui ne sont jamais arrivés... Il a parfois l'impression de ne servir à rien. Pour un qui obtient l'asile, cent autres débarquent, qui, faute de place, envahissent les forêts alentour et se fabriquent des abris de fortune. Peuple de zombies aux visages encapuchés dont personne ne connaît ni la langue ni l'histoire. La tentation du désespoir le gagne parfois. Alors il se donne d'autres missions, d'autres combats dont il pense qu'il pourrait les gagner : un rapport sur l'urgence humanitaire à Sangatte à l'adresse des responsables politiques ; un voyage en Côte d'Ivoire pour aider à fonder une nouvelle communauté dans une région oubliée ; des démarches sans fin pour rabibocher ses frères et ses sœurs qui se déchirent au sujet d'un minuscule héritage. Tout le monde lui dit : tu en fais trop, il faut te préserver. Mais lui n'en a cure. Un jour, il perd conscience et se retrouve dix jours à l'hôpital Georges-Pompidou. Surmenage. Ses problèmes de dos, qui ont miné son enfance, ont refait surface. Des douleurs qui le scient en deux et l'obligent à garder le lit des jours entiers. Sous la robe de bure, il n'a jamais cessé d'être le garçonnet fragile et emprunté que son corps martyrise...

Ses amis parisiens le trouvent changé, triste, alourdi. Mais quand on évoque sa santé, il lève les yeux au ciel. Un coup de mou, rien de plus. On ne va pas en faire un plat. Ce qu'il ne dit pas encore, c'est qu'il s'est lancé dans un pari insensé : prendre la tête des Franciscains.

Être élu provincial. Il en a assez des blocages, des lourdeurs administratives, des guéguerres intestines. Son rêve, c'est de retrouver la ferveur des origines, l'innocence de cœur qui a permis à quelques hommes de rien de répandre l'amour de Dieu aux quatre coins de la terre. S'ils n'agissent pas pour se moderniser, ils finiront par crever. Ils étaient cent trente mille de par le monde à la veille de la Révolution, dix fois moins aujourd'hui. En France, les différentes «provinces» ou régions viennent d'être regroupées en une seule circonscription, en raison du manque d'effectifs. Christian n'a de cesse de le marteler auprès des frères qui veulent bien l'entendre : on ne les voit plus, on ne sait plus qui ils sont, ni le travail effectué auprès de la population. Pour les jeunes générations, les Évangiles s'apparentent à la mythologie grecque. À eux de leur montrer qu'on peut les vivre au quotidien. Qu'ils portent en eux cette part de vérité universelle dans laquelle chacun peut se retrouver. Raviver la vieille foi chrétienne. Le Poverello y est parvenu, plus de mille ans après le Christ, alors pourquoi pas eux aujourd'hui, en ces temps où règnent, comme à l'époque de François, le culte de l'argent et le mépris du sacré. Le monde ne meurt-il pas d'avoir été déserté par le spirituel ?

L'élection du provincial a lieu tous les six ans. C'est l'occasion ou jamais. Christian décide de se mettre en campagne. Il visite ses frères dans les différentes régions, leur expose son programme : porter la robe de bure au quotidien, inclure davantage les laïcs dans la paroissiale, travailler aux côtés des associations et des ONG, inscrire les fraternités au cœur des villes et des quartiers difficiles... Bien sûr, ils en décideront tous ensemble, ce ne sont que des pistes de réflexion. Mais il faut que les choses changent.

Un soir, dans un petit bar d'un village de la Mayenne, un frère et lui débattent et boivent de la Chimay jusqu'à la fermeture. Christian est persuadé de pouvoir l'emporter. Déjà, à Vézelay, le maître des novices lui prédisait un grand avenir au sein de l'ordre. Son éloquence, son esprit d'entreprise, son sens du relationnel. Tant de qualités qui manquent aux plus âgés, confits dans leurs habitudes.

Face à lui, frère Henri secoue la tête : cette fois, il va trop loin. Il ne se rend pas compte du poids de l'institution. Le provincial actuel sera réélu parce qu'il rassure les frères. «Toi, tu fais peur, on te jalouse, on pense que tu créeras des problèmes. Et puis je vais te dire une chose, Christian : on ne se présente pas chez les Franciscains. Si tu fais acte de candidature, tu peux être certain que tu perdras. Sais-tu ce que signifie à l'origine le fait d'être élu? C'est être appelé. C'est être choisi par Dieu. Ce choix-là ne t'appartient pas.» «Alors, selon toi, il ne faudrait rien faire, tempête Christian. Il faudrait attendre les bras croisés la volonté de Dieu, c'est ça?» «Non, bien sûr, reprend Henri. La liberté est un don merveilleux, mais la liberté ne peut pas tout. Il faut aussi consentir à ce qui nous échappe. Plus on force les choses, plus elles nous résistent. Et c'est quand on n'exige plus rien d'elles qu'elles finissent par nous céder. Sois patient, tiens-toi disponible, et Dieu te fera signe.»

Mais Christian n'a pas le temps d'attendre Dieu. Quelques mois plus tard se déroule une première consultation. Une terne, comme ils l'appellent. Il s'agit de donner des orientations en vue du chapitre. Chaque frère reçoit un papier où il doit coucher trois noms. Il faut être prêtre et profès solennel depuis cinq ans au moins pour être éligible. Toutes conditions que remplit Christian.

Après dépouillement, son nom est loin de figurer en tête. Pas grave, se dit-il. Les frères jettent des idées sans trop y réfléchir; ils se rangeront ensuite à des choix plus réalistes. Tout le monde n'est pas en mesure d'assumer des charges aussi lourdes. Tout le monde n'en a pas le désir. Tandis que lui…

Rendez-vous est pris à Nevers, dans une maison d'accueil dirigée par les sœurs de la Charité. Une salle de réunion a été aménagée pour l'occasion où se presse la centaine de frères accourus de toutes les régions. Un visiteur extérieur à la province a été désigné pour présider l'assemblée. Après la prière à l'Esprit saint, celui-ci déclare officiellement le chapitre ouvert. Les charges tombent aussitôt, tous les frères se retrouvent sur un pied d'égalité. Commence alors une semaine de palabres et de débats, de séances parfois houleuses où le micro passe de main en main pour discuter de rapports sur des missions passées ou d'orientations pour le futur. Chaque texte, diffusé par rétroprojecteur sur un grand écran, est scruté et amendé à la virgule près. On délibère, on lève la main, on s'invective, on dépose des motions, on finit par transiger. Puis vient le moment de voter. Chacun brandit un carton, rouge, vert ou blanc, selon qu'on est d'accord ou pas avec la déclaration finale. Moment unique de démocratie, hérité des premiers frères dominicains, et qui demeure inchangé depuis des siècles…

Entre les sessions, les frères se retrouvent au réfectoire ou dans la chapelle pour les offices. Dieu reprend ses droits. Le temps cesse d'être une course affolée vers un avenir qui n'existe pas encore. Mais l'avenir revient toujours frapper à la porte. Il leur faut remonter. Recommencer les réunions, les marchandages, les délibérations. Le soir, les chambres et les couloirs continuent de grouiller de monde. Des plans s'ourdissent, des rumeurs naissent, la tension monte. Le chapitre approche de son terme. Chacun compte ses voix. Christian est partout à la fois. Il plaisante avec les uns, parlemente avec les autres. Donne des gages aux différents camps. Sa stature, son éloquence, ses idées novatrices : oui, il ferait un provincial idéal.

Le dernier jour est celui de l'élection. Le visiteur en rappelle le déroulement : les deux premiers tours à la majorité relative puis le dernier à la majorité absolue. Dans la salle soudain rendue au silence, les secrétaires adjoints passent à travers les rangs munis d'un panier. À l'intérieur de celui-ci, les bulletins de vote : «Je vote pour frère…», puis un blanc à remplir. Murmures des stylos, froissements des feuilles. Quelques secondes encore, et les secrétaires repassent avec leurs paniers avant de les rapporter au visiteur, debout sur l'estrade. Celui-ci commence alors le dépouillement. Il déplie un bulletin et lit à voix haute le nom inscrit dessus. Des colonnes ont été tracées au feutre sur un paperboard. Un assesseur fait le décompte des voix au fur et à mesure. Chaque fois que le président du chapitre pioche un papier dans la corbeille, Christian tressaille. Son nom se trouve peut-être là. Son destin qui tient seulement à deux syllabes. Secondes insoutenables. Il se revoit, lui, l'élève médiocre, relégué au fond de la classe, moqué par ses camarades, et il se dit que ce gamin aujourd'hui sera peut-être vengé. Ce gamin aura enfin son moment de gloire. Son pouls s'accélère, le sang lui monte aux tempes, et puis soudain tout retombe. C'est un autre nom que le sien qui résonne dans la salle. Un nom qu'il reçoit comme une gifle. Il a l'impression à cet instant que tous les frères éprouvent de la pitié pour lui, mais il se leurre. À cet instant, il n'existe même pas à leurs yeux, et c'est peut-être cela le pire.

Le vote se poursuit. Les barres s'accumulent sur le paperboard. Le provincial sortant est largement en tête. Christian, lui, n'a récolté que trois voix mais il espère encore rattraper son retard. Il ne peut pas croire, après toutes ces heures passées à démarcher, à argumenter, à convaincre, qu'aucun de ses frères ne l'ait entendu. Qu'aucun de ses frères, à un seul instant, n'ait souhaité sa victoire. Hélas, le temps passe, et le miracle n'a pas lieu. Le résultat est sans appel : son rival, le gardien de Paris, est élu. Ovation dans la salle. On se lève pour le féliciter. Christian reste sur sa chaise, mortifié. Il ne comprend pas : cet homme qui l'a rappelé de Bordeaux pour le mettre dans un placard, cet homme aux idées étriquées, comment ont-ils pu le choisir ? Et pourtant il lui faut rester là, au milieu des hourras et des embrassades, comme ces acteurs nommés aux oscars à qui vient d'échapper la récompense et qu'on continue de filmer en gros plan, avec leur sourire de façade, acclamant des deux mains leur rival, alors que chaque seconde, chaque salve d'applaudissements, chaque coup d'œil à son visage béat les démolit un peu plus de l'intérieur.

Au sortir de la salle, frère Henri est là qui l'attend. Christian s'effondre dans ses bras. C'est toi qui avais raison, j'aurais dû t'écouter. Henri tente de consoler ce grand gaillard de presque deux mètres qui semble soudain redevenu un enfant. Un petit garçon qui a désespérément besoin de tendresse. Allez, il faut qu'il se remette. Qu'il tâche de faire bonne figure. Ils doivent encore se rendre à la chapelle pour renouveler leurs vœux d'obéissance comme le veut la tradition.

Tous les frères forment déjà une file. Christian leur emboîte le pas, se demandant comment il tient encore debout. En bas de l'escalier, le provincial les attend assis devant l'autel. Chacun à son tour s'agenouille et place ses mains dans les siennes puis récite les formules d'usage. Les mêmes que Christian avait prononcées à Vézelay dans le petit jardin éclaboussé de soleil, il y a des années. Mais, cette fois, les mots semblent vides. Il les articule sans les comprendre. Ce n'est plus qu'un bruit, un marmonnement terrifiant qui sort de sa bouche.

Le coup de grâce survient quelques jours plus tard. On lui annonce que la fraternité de Bordeaux va fermer. Malgré les éloges répétés de l'évêque, malgré l'attachement des habitants de Saint-Michel, malgré les situations d'urgence auxquelles ils sont seuls à faire face. Inimaginable pour lui.

Il se rue dans le bureau du provincial, faisant valser la porte. Ce dernier n'a pas le temps de prononcer un mot que Christian se met à tempêter : c'est n'importe quoi, ils ne peuvent pas faire ça, Bordeaux, c'est une des fraternités les plus dynamiques, une tête de pont du renouvellement franciscain. Y mettre un terme, c'est abandonner des gens qui comptent sur eux. C'est faire l'aveu de leur impuissance.

Le provincial lui intime de se calmer. Sa décision est irrévocable. La province manque d'effectifs. Il fallait renforcer certaines fraternités, quitte à en fermer d'autres. Ce n'a pas été un choix facile, mais c'est ainsi.

Christian frappe du plat de la main sur le bureau. Un gobelet se renverse et une moisson de crayons s'éparpille. Le provincial recule d'un bond comme si Christian allait lui balancer la table dessus. Christian a une expression atroce sur le visage. Ce n'est même pas de la haine, c'est la nausée. Une immense nausée devant le gâchis de toutes ces vies. Celles de ses frères, celles des habitants de Saint-Michel. Et puis la sienne, aussi. L'évidence s'abat sur lui : l'aîné dans la parabole du fils prodigue, c'est lui, le provincial. Et il a fini par se venger. Par lui faire payer la grâce reçue de Dieu. Alors, sans ajouter un mot, il quitte la pièce.

Deux jours plus tard, Christian apprend qu'il est muté près de Brive, dans un trou paumé. Une punition à n'en pas douter. Il tiendra à peine deux semaines. L'envie n'est plus là ; l'espérance est usée. Alors, pour la première fois depuis des années, il sent la nuit recouvrir le soleil. Un jour noir et épais comme de l'encre étouffant toute lumière. Il sent les ténèbres descendre sur le monde et le contempler.

Mon Dieu, mon Dieu, pourquoi m'as-tu abandonné?

36.

C'est une maison de maître du début du XXᵉ siècle aux tuiles couleur de rouille et à la façade décrépite, juchée en haut d'une colline de quinze hectares. Tout autour des vaches, des bocages, des prés piqués de pissenlits qui s'étirent jusqu'à la mer sous des à-plats de nuages gris. Parfois on entend retentir au loin la corne de brume du ferry de Houlgate en partance pour l'Angleterre, mais c'est à peine si on le discerne, tout comme les lumières scintillantes du casino de Cabourg à la nuit tombée lorsque les rues se remplissent de bandes de jeunes et d'estivants. Tous ces détails semblent appartenir à un autre monde, où chacun vit absorbé dans sa propre histoire, tandis qu'ici, sur la colline, tout demeure immuable. Les branches des grands pins, les graviers du parvis, la statue de la Vierge à l'Enfant dominant la campagne assoupie.

Christian a trouvé refuge dans l'aumônerie qui forme une minuscule aile en retrait du bâtiment. Un bureau, un coin toilettes et une chambre ridiculement petite avec un lit en fer où il tient à peine, le dos à la torture, incapable de trouver le sommeil. Dans un angle, sur une table de prière, il a disposé un crucifix, une bougie et un portrait en noir et blanc de sa mère.

La seule fenêtre, garnie de barreaux, donne sur une petite cour herbeuse d'où s'élance un chêne séculaire. En face, on aperçoit la chapelle, construite comme l'aumônerie, dans le prolongement du manoir. Mais jamais personne ne passe par cette cour. Les sœurs de l'Annonciade, qui l'ont accueilli ici, vivent cloîtrées et se rendent directement du réfectoire ou de la salle capitulaire à la chapelle. Ou alors elles vont se dégourdir les jambes de l'autre côté, dans le jardin où elles s'occupent de leurs rosiers. Quant aux rares paroissiens ou retraitants, à qui les sœurs louent une maison en colombage au pied de la colline pour se faire un peu d'argent, ils accèdent à la chapelle par le parvis et repartent aussitôt après les offices.

Aussi Christian est-il seul à traverser chaque jour ce carré d'herbe pour se glisser par une porte dérobée dans la sacristie, où il se prépare avant de célébrer la messe. Puis il s'en retourne par le même chemin. Telle est la seule tâche qui lui incombe désormais.

Les ancelles de l'Annonciade ont hérité ce manoir d'une riche veuve, il y a plus de trente ans, et y mènent une vie contemplative dédiée à la Vierge Marie. Seule présence étrangère entre ces murs : leur aumônier qui vient tout juste, à quatre-vingts ans, de décéder. L'une de leurs sœurs, au monastère de Thiais, a proposé à Christian de venir le remplacer, le temps de trouver une solution. Mais les semaines ont passé et Christian est resté.

Il a décidé de se mettre en congé des Franciscains. La fermeture de Bordeaux, l'élection du provincial, les semaines de purgatoire passées à Brive l'ont brisé.

À tel point qu'un médecin a dû lui prescrire des anti-dépresseurs. Il ne sait pas encore de quoi son avenir sera fait. S'il sera capable de retourner vivre parmi ses frères, ou alors…

Il préfère ne même pas y penser. Tout ce qu'il souhaite pour l'instant, c'est dormir, se reposer, méditer. Se raccrocher aux psaumes et aux prières pour vaincre ce chagrin qui le terrasse. Mais tous les mots lui semblent froids désormais ; l'émerveillement qu'il éprouvait à les lire a disparu. C'est un étranger qui s'adresse à lui, et toute sa douleur vient du fait qu'il se rappelle l'avoir aimé et qu'il meurt de l'aimer encore.

Il se souvient du temps où la foi en Dieu lui paraissait une chose si simple, si évidente. Cette foudre d'amour et de gratitude tombée sur lui en Espagne, la découverte de Medjugorje et la patiente ferveur des franciscains, le petit jardin de Vézelay où par un après-midi de juin il s'était fait serviteur du Christ, comment les retrouver ? Comment éprouver de nouveau cette adhésion vitale, qui ne souffre aucune question ?

Quand il aperçoit les sœurs à la messe, assises sur leurs bancs de chaque côté, avec leurs guimpes blanches et leurs voiles sombres enserrant leur visage rayonnant de piété, il ressent une pointe de jalousie. Et peut-être de la haine aussi pour lui-même. Il se rend compte qu'il n'a jamais cessé d'être l'homme qui chassait des proies d'un soir dans les allées obscures du Champ-de-Mars. Cet homme voué à la noirceur et à l'angoisse. Dieu lui a tendu la main et il a fini par la lâcher. Il s'est aliéné ses frères, égaré par ambition, et à présent il succombe à la plus grande des tentations, celle du désespoir.

Le pire, peut-être, c'est quand il reçoit les sœurs en confession. Elles s'accusent de ne pas vivre pleinement l'Évangile, de songer trop à elles, de se complaire dans un certain confort matériel alors qu'elles ne possèdent rien et passent leurs journées à louer Dieu. Quel monstre de péché est-il, comparé à elles? Comment pardonner à des êtres aussi angéliques quand la grâce nous a abandonné?

Bien sûr, elles ne savent rien de ses tourments ni de ses difficultés avec les Franciscains. Il ne souhaite pas les accabler avec ses histoires. Et puis, même s'il le voulait, comment trouverait-il l'occasion de le faire? Le seul moment où il leur adresse quelques mots, en dehors des messes et des confessions, c'est au déjeuner quand elles se glissent discrètement dans ses appartements pour lui apporter son plateau-repas ou faire un brin de ménage. Il les remercie et prend de leurs nouvelles avant qu'elles ne disparaissent comme des petites souris. Étrange voisinage que ce grand bonhomme, accablé de regrets et de doutes, qui traverse ses journées tel un fantôme, et ce fourmillement silencieux de petites vieilles, toujours vêtues de leurs scapulaires et de leurs robes grises en signe de pénitence, qui vivent dans un temps parallèle où chaque heure semble déjà un fragment d'éternité.

Quand je repense à ces mois solitaires que Christian a passés à Brucourt, je ne peux m'empêcher de songer une fois de plus à saint François, lorsqu'il s'était retiré sur la montagne de La Verna, au moment de sa grande crise intérieure.

À l'époque, il vient de rentrer d'Orient et découvre avec effroi que ses frères ont peu à peu délaissé l'esprit évangélique des premières années. D'un côté, on trouve les clercs formés dans les universités et imprégnés de scholastique, et de l'autre des frères lais que l'on cantonne dans de basses besognes domestiques. Rares sont ceux qui voyagent encore deux par deux tels les apôtres itinérants qu'ils furent à leurs débuts. Au contraire, de nombreux franciscains ont élu domicile dans des églises ou des masures retapées. Symbole de cet embourgeoisement : les petites cabanes de branches et de boue qui abritaient les frères à la Portioncule ont laissé place à un large édifice de maçonnerie, aux murs de chaux immaculés, provoquant l'ire de François. Quand il s'adresse à ses frères et les rappelle à leur vœu de pauvreté, on le regarde de haut : François est un saint homme, certes, mais il ne comprend rien aux réalités de son siècle ; pour survivre, un ordre religieux a besoin de se structurer, de s'établir dans des lieux pérennes comme les Cisterciens ou les Bénédictins, de se doter de nouvelles règles. Sans quoi ils ne seront jamais que des vagabonds méprisés et moqués de tous. Même frère Élie, qui a pris la tête de la fraternité en son absence, semble sourd à ses imprécations. François passe désormais pour un songe-creux, un illuminé, qui risque par son jusqu'au-boutisme de compromettre le nouvel édifice franciscain.

Mais il y a plus grand ennemi encore que frère Élie : Rome, qui souhaite utiliser les frères comme un instrument de reconquête et de lutte contre les hérésies.

On accorde aux missionnaires de porter de l'argent sur eux ou de célébrer la messe sur un autel portatif, puis on oblige les frères à établir noir sur blanc une règle afin d'encadrer leur prédication. La tâche en revient d'abord à François, leur fondateur, mais son texte qui s'appuie surtout sur des citations tirées des Évangiles est retoqué par la curie. Les frères se remettent à l'ouvrage sans son concours et deux ans plus tard est adoptée une *Regula bullata*. Pour François, ce n'est ni plus ni moins qu'une trahison : on n'y parle plus de respecter une pauvreté absolue ni de soigner les lépreux; *idem* pour la nécessité de travailler de ses mains ou l'obligation de laver les pieds les uns des autres. En revanche, il est permis aux frères de posséder des livres ou de bâtir leurs propres oratoires pour y célébrer la messe. Quant à la possibilité de désobéir à un supérieur indigne, elle n'apparaît plus dans le document final. Toute contestation est désormais impossible. François a perdu. Il est devenu un étranger parmi les siens. Alors, la mort dans l'âme, il part se retirer dans un ermitage sur les contreforts des Apennins. Une grotte naturelle à laquelle on accède par un chemin tortueux, au milieu d'un éboulis de roches. Pour la première fois, il a l'impression de ne plus entendre Dieu. De ne plus savoir ce qu'il veut de lui. Il a beau prier et jeûner jusqu'à en oublier l'heure, rien ne vient. Il parlera de cette époque comme de celle de «la grande tentation». Laquelle? Aucun de ses biographes ne se risque à le dire. Mais Christian, lui, le sait.

37.

Il a dû méditer longtemps dans sa chambre de Brucourt, essayant de puiser dans l'exemple de saint François des motifs de réconfort et d'espoir. Car le Poverello, après de longs mois d'agonie spirituelle, était venu à bout de cette épreuve. Comment? De cette histoire, il ne nous reste que la légende : François se trouvait un matin en train de prier à flanc de montagne quand il eut la vision dans le ciel d'un ange à six ailes dans lequel il reconnut le Christ; il eut l'intime conviction alors que son ordre vivrait jusqu'à la fin des temps et qu'il devait cesser de se soucier pour son avenir. Dans les jours qui suivirent, il vit apparaître à ses chevilles, ses poignets et au côté droit de son torse les stigmates du Christ, qu'il tenta de cacher sous ses habits jusqu'à ce que ses frères finissent par les découvrir sur son lit de mort.

Christian accordait peu de crédit à ces miracles apocryphes. Selon Thomas de Celano, religieux franciscain et premier hagiographe de saint François, ces blessures n'étaient point des entailles à ses membres mais des excroissances de chair, comme si François s'était identifié au Christ jusque dans son corps. Une somatisation à l'extrême en somme. Qu'importe. François avait reçu Dieu de nouveau dans son cœur. Mais si Christian n'obtenait rien par ses prières ? S'il devait rester exilé à jamais dans ce manoir battu par les vents et la pluie, au milieu de ces moniales silencieuses ?

Le vertige le saisit parfois à l'idée qu'il vit déjà comme un mort, enterré en lui-même. Toute passion l'a déserté, tout désir. Il ne parvient plus à faire corps avec le reste du monde. Quant au sien, ce n'est qu'un amas de chair et d'os qu'il traîne avec lui. Quand sa colonne vertébrale l'élance brusquement, il s'étonne même de sa propre existence, comme s'il s'agissait d'une présence étrangère et retorse, qu'il tente alors d'amadouer en se tenant immobile dans un fauteuil, lumières éteintes, espérant se faire de nouveau oublier d'elle.

La seule médecine qu'il s'autorise, ce sont les offices auxquels il se met à assister plus souvent. Prime, tierce, sexte et ainsi de suite... Toujours répéter les mêmes psaumes, les mêmes prières comme pour s'apaiser peu à peu et lâcher prise. On retrouve dans les litanies chrétiennes, comme dans les mantras bouddhistes, la même dissolution de soi. Elles le calment, le soulagent, le purifient. Ce n'est pas encore Dieu, mais au moins ce n'est plus le mal. Il sentirait presque son âme s'élever s'il n'y avait les sœurs : elles chantent comme des casseroles et il en rit dans son for intérieur. Les pauvres sont trop sourdes pour se rendre compte qu'elles massacrent la mélodie et demeurent persuadées de chanter avec les anges tandis qu'une de leurs sœurs anglaises plaque des accords à contretemps sur l'harmonium. Il ne sait comment leur dire la vérité sans les blesser. Alors un jour, dans le bottin, il cherche le numéro de téléphone d'un professeur de chant des environs. Les sœurs manquent de faire un infarctus en prenant place devant l'homme qui arbore queue-de-cheval et piercings à l'oreille. Mais elles finissent par se plier sans broncher à sa discipline. Peine perdue. Leur niveau musical est si lamentable que le professeur finit par jeter l'éponge.

Observer les sœurs devient bientôt l'unique distraction de Christian. Leurs habitudes, leurs petites manies, leurs chamailleries, aussi. Il s'amuse de les découvrir si parfaitement imperméables à la modernité. Elles ne reçoivent pas les journaux, ne possèdent ni télévision ni radio, ne savent rien des affaires du monde. Lorsque l'une d'elles passe la tête dans son bureau avec son plateau-repas du soir, il tente parfois d'évoquer l'actualité : «Dites donc. Vous avez vu Bush en Irak. C'est terrible ce qui se passe là-bas…» Mais la sœur fait les yeux ronds. «Ouh là là, vous savez, tous ces pays, c'est beaucoup trop loin pour moi, je n'y comprends rien.»

Il ne se décourage pas pour autant. Il se met bientôt en tête de les initier à Internet. Ce qui leur simplifierait la vie pour les courses ou l'organisation des retraites spirituelles dans la petite maison en bas de la colline. Christian achète donc un ordinateur et leur ouvre une boîte mail, mais les sœurs se mélangent sans cesse les doigts sur les touches, ou alors elles fixent désespérément l'écran à la recherche de l'icône de la souris qui semble toujours par malice leur échapper. Deux mois plus tard, l'ordinateur sera revendu.

Mais leur candeur est plus étonnante encore. Elles semblent accepter tout ce qui se présente avec l'évidence propre aux enfants. Comment peut-on occuper ses journées entières à cuire des confitures et à peindre des santons ? Il y a dans ces vies minuscules quelque chose qui le bouleverse. Il aime parfois sortir dans le jardin humer leurs rosiers qu'elles bichonnent avec amour, ou pousser jusqu'au potager à travers le petit bois de chênes et d'érables qui dégringole en direction des pâturages. Maintenant que le printemps est revenu, le sol est tapissé de cyclamens aux boutons mauves. Il suit du regard les tourbillons des rossignols entre les branches des frênes et s'arrête pour remuer la terre là où les sangliers l'ont creusée durant la nuit. Parfois un chevreuil apparaît et se fige à sa vue. Lui-même n'ose plus bouger devant l'animal aux aguets qui semble échappé d'un conte de son enfance. Il observe la courbure frémissante des muscles de l'animal, ses beaux yeux noirs mouillés de lumière, la douceur moi-rée de son pelage qui se confond avec les touches de soleil sur les feuillages, et il voudrait que cet instant dure toujours. Il voudrait voir le monde comme ce chevreuil le regarde.

Au sortir du bois, il s'allonge dans l'herbe. Devant lui, les pentes molles des coteaux où paissent les vaches, la lente dérive des nuages sur le bleu du ciel. Peut-être Dieu est-il secrètement là, dans la caresse du soleil sur son visage, dans le vrombissement furtif d'une mouche, dans l'odeur d'humus et de fruits surs, dans le froncement des feuilles sous le vent, dans l'allé-gresse flûtée des oiseaux qui chantent autour de lui, dans la fraîcheur coupante de l'herbe entre ses doigts, dans le dos chatoyant d'une coccinelle posée sur son bras, dans tous les infimes prodiges qui se répètent depuis la nuit des temps, toutes choses qui auraient pu ne jamais être et pourtant qui sont là, comme il est là lui aussi dans ce champ, partageant avec elles ce souffle de vie arraché au néant, cette présence charnelle incarnée dans le temps, cette mystérieuse harmonie qui lie tous les vivants?

Oui, peut-être. Mais non pas comme un esprit ou une puissance cachée sous l'écorce des arbres ou la forme de l'eau. Plutôt comme un geste qui ne cesserait de se prolonger depuis l'origine. Un souffle invisible donnant vie à la matière. Christian, visage tourné vers les rayons du soleil, songe au François du *Cantique des créatures*, au François qui parlait au loup de Gubbio comme à un ami, au François qui prêchait aux corbeaux et aux grives dans un champ en dehors de Rome quand les membres de la curie refusaient de l'écouter, et il a l'impression de le comprendre mieux que jamais. Chaque chose de la création partage la même vérité.

Bientôt il pousse ses balades plus loin, jusqu'à l'église en contrebas, derrière laquelle sont enterrés quatre soldats américains dont l'avion s'est écrasé ici pendant la guerre, ou jusqu'à la côte et la grève qui s'étire sans fin, noyant les silhouettes des promeneurs sous les embruns.

Un jour, alors qu'il marche sur la digue d'Houlgate, il tombe sur un cousin éloigné qu'il a croisé il y a des années en Anjou. Christian le prend dans ses bras; c'est incroyable de se retrouver là; mais qu'est-ce qu'il fabrique à Houlgate? Le cousin en question possède une maison de famille sur la plage où il passe ses vacances avec sa femme et ses quatre enfants, pourquoi Christian ne viendrait-il pas leur rendre visite?

Le soir même, ils dînent ensemble sur la terrasse de la villa face au soleil couchant, se régalant de bulots et de crevettes grises, les doigts barbouillés de mayonnaise. Ça le change des plateaux-repas des bonnes sœurs! Elles sont gentilles mais elles sont aussi peu douées en cuisine qu'au chant... Ses histoires de Brucourt font rire tout le monde. Christian est d'humeur déconneuse. Il taquine les jeunes sur leurs fringues et siffle du calva avec les vieux. Tu es ici chez toi, déclare son cousin. Tu reviens quand tu veux.

Il ne se le laisse pas dire deux fois. Ces repas de famille, auxquels se joignent d'un week-end sur l'autre de nouveaux cousins et amis, sont une brusque explosion de joie dans la sombre monotonie des semaines. Même s'il ne dit rien de la tristesse et des doutes qui l'écartèlent, parler avec eux le soulage. Les résultats du football, les élections prochaines, les études de la cadette : peu importe le sujet. Il a enfin l'impression de sortir de lui-même.

On fait de longues balades à marée basse sur la plage, ou on crapahute jusqu'à la table d'orientation qui domine la baie. Certains jours de beau temps, Christian se risque même à piquer une tête dans l'eau glacée. Il ôte à la va-vite son chandail et son pantalon et s'élance sur ses échasses, les yeux rieurs et la mâchoire crispée parce que, dis donc, ça caille drôlement quand même... Il trottine jusqu'aux premiers festons d'écume et s'immobilise quand ils lui enserrent soudain les chevilles. Il observe l'eau refluer en torsades et découvrir de nouveau ses pieds constellés de grains de sable. Puis il progresse à pas mesurés, rentrant le ventre, se hissant sur la pointe des pieds, avant de plonger enfin dans les vagues. Le sang fouette ses veines, lui faisant sentir la moindre parcelle de son corps avec une acuité nouvelle. À chaque brasse coulée, il étire les bras loin devant et il a l'impression pendant deux ou trois secondes de ne plus rien peser. Il se laisse flotter, le souffle suspendu, observant les bulles qui remontent à la surface comme autant de microscopiques pensées dont son crâne se purgerait. Plus rien ne l'habite sinon le silence. Le vide. L'eau est devenue sa propre peau, et sa peau l'océan tout entier.

Un matin, il part seul se balader sur la plage et ses pas le mènent jusqu'à Deauville, à six kilomètres. Depuis longtemps il projetait de visiter la communauté de sœurs franciscaines qui vit dans un ancien orphelinat reconverti en lycée sanitaire et social pour jeunes en difficulté.

Le bâtiment se trouve le long d'une avenue déserte, bordée de tilleuls. Une petite chapelle a été construite tout contre, et Christian, mû par la curiosité, décide d'y entrer. Il s'agenouille sur un prie-Dieu et pose son front contre ses mains jointes. Combien de temps reste-t-il ainsi, en oraison ? Une voix soudain le fait sursauter : « Vous êtes malade, mon frère ? » Une vieille franciscaine se tient à ses côtés. Elle a le dos voûté, les jambes tout enflées et étoilées de veines bleuâtres. Quelques touffes de cheveux blancs masquent à peine son crâne glabre. Et pourtant son regard demeure vif et perçant, comme s'il avait échappé par miracle à la lente décrépitude du corps.

«Comment savez-vous que je suis frère? l'interroge Christian.

— À votre croix, répond-elle en lui montrant la sienne. Pardonnez-moi de vous déranger, mais vous n'aviez pas l'air bien.

— Non, c'est vrai, je ne me sens pas très bien», avoue-t-il.

La phrase est sortie toute seule. Il se demande même si c'est bien lui qui l'a prononcée. Depuis des mois, il a pris soin de ne se livrer à personne, et soudain devant cette inconnue…

«Venez avec moi, lui dit-elle. Nous allons parler.»

Elle le conduit jusqu'au réfectoire et lui sert une tasse de café avec quelques biscuits secs. Elle insiste pour qu'il mange, ne le quittant pas des yeux tandis qu'il mastique son gâteau. Christian se laisse faire comme un enfant. Il ne sait pourquoi, mais devant cette femme si proche de la tombe, il éprouve une confiance absolue. Alors, quand elle lui demande ce qui ne va pas, il s'épanche sans retenue. Il commence par le début. Son enfance, ses problèmes de santé, la mort de sa mère, les drogues et les mondanités, ses expériences avec les hommes dans les jardins la nuit, son passage à tabac et la tentation du suicide, puis la révélation de Dieu sur une route d'Espagne, les premières années chez les Franciscains et la fermeture de Bordeaux, l'élection du provincial et son exil chez les Annonciades, cette nuit obscure où il est plongé à présent, doutant même de sa vocation.

Jamais il ne s'est confessé de la sorte à quiconque. Jamais il ne s'est senti aussi faible et sans défense. Et en même temps c'est un soulagement infini. Comme si toutes ses souillures et ses faiblesses se trouvaient enfin sanctifiées. Il a du mal à se l'expliquer. Au lieu d'appeler les reproches, ses aveux sont payés d'amour et de gratitude, et il a le sentiment soudain d'être aimé dans ses moindres fautes et manquements.

« Il n'y a pas que vous, mon frère, nous connaissons tous ce genre d'épreuves, dit la sœur en posant sa main fripée sur la sienne. Moi aussi il m'est arrivé de ne plus sentir la présence de Dieu autour de moi. Mais il est comme le soleil : même derrière les nuages, il continue de briller. Il suffit d'attendre et de prier, alors vous le verrez car vous n'aurez jamais cessé de regarder vers lui. Je sais que c'est difficile dans ces moments de continuer à croire. On peut avoir l'impression que sa vie n'est qu'une grande tromperie. Mais peut-être est-ce une chance aussi. Peut-être a-t-on besoin d'en passer par là pour se purifier. Renoncer à l'orgueil, à la prétention d'être aimé, au sentiment que nous seuls tenons notre destin entre nos mains. Il faut aimer être vaincu car c'est une grâce que Dieu nous fait. Il est toujours là, au cœur même de notre drame. »

La discussion se poursuit ainsi longuement. Puis le silence finit par tomber. Christian se sent épuisé d'avoir tant parlé.

« Alors qu'est-ce que je dois faire maintenant ? lui demande-t-il.

— Ce que vous avez toujours fait. Honorer Dieu, servir les autres, aimer ce que la vie chaque jour vous offre. Vous savez qu'ils ont ouvert une fraternité au Havre ? C'est à quelques kilomètres d'ici seulement ; pourquoi vous n'iriez pas les voir ? Je vais vous noter le téléphone du gardien. C'est quelqu'un de très bien. Frère Henri...

— Frère Henri, vous avez dit?

— Vous le connaissez?

— Je l'ai rencontré une fois en Mayenne, puis lors du chapitre. Il m'a beaucoup soutenu à l'époque...

— Eh bien, vous voyez, c'est peut-être Dieu qui vous fait signe...»

38.

Servir. Être un esclave. Retrouver la sainte obéissance. Voilà ce à quoi il aspire désormais. La liberté
n'est pas faire ce que l'on désire, mais désirer ce que
l'on est en train de faire. Comment a-t-il pu s'aveugler
à ce point? Il s'est cru un destin; il s'est rêvé en saint
François; il a échoué, victime une nouvelle fois de
cette maladie d'orgueil contractée dans son enfance.
Car entrer dans les ordres, devenir provincial, c'était
encore se choisir une vie exceptionnelle. Une vie hors
du commun. Mais il n'y a rien de plus commun que le
malheur des hommes lorsqu'ils comprennent qu'ils ne
seront jamais rien d'autre qu'eux-mêmes.

À présent, il apprend à chérir la petitesse de son existence. Ses servitudes minuscules. Le linge des frères
qu'il lave et repasse, les repas qu'il leur prépare, les
comptes qu'il tient dans un grand cahier d'écolier à
spirale. Il est comme les frères convers d'antan, tout
entiers dédiés aux basses œuvres pour que les autres
puissent se consacrer librement à l'oraison et à l'étude.
Il ne demande point d'autre place.

Dans une biographie de saint François que lui a
offerte frère Henri, il a corné la page où le pauvre
d'Assise reçoit un jeune franciscain, déçu par ses

frères, qui souhaite se retirer dans un ermitage pour mieux se dévouer à la vie spirituelle. Après avoir écouté ses doléances, François lui répond : «Des soucis ou des personnes – frères et autres – t'empêchent d'aimer le Seigneur Dieu? Eh bien! même s'ils allaient jusqu'à te battre, tu devrais tenir tout cela pour une grâce. Ta situation, prends-la comme elle est. Ne rêve pas d'autre chose. Voilà ce que le Seigneur et moi-même attendons de toi. C'est là, j'en suis sûr, le chemin de la véritable obéissance.»

Oui, obéir à ce qui nous est donné comme les fleurs et les plantes obéissent au soleil et à la pluie, comme les marées obéissent à la terre et à la lune, comme les créatures obéissent au sommeil et à la soif. Il éprouve une paix nouvelle à accepter ce qui est et à tâcher de l'aimer. Même le provincial, même les frères qui l'ont lâché, il ne leur en veut pas. Il se met à leur place. C'est peut-être pour le mieux, qui sait? Ce n'est pas à lui d'en juger. Tout commence en mystique et se termine en politique. Sagesse de Péguy.

Ici, au moins, il a renoué avec cette vie fraternelle et rustique faite de prière, de partage, de persévérance. Il est sorti de la voie solitaire et aride où l'avait entraîné sa volonté, pour éprouver de nouveau la tendresse surnaturelle qui fait de chaque individu un semblable. Et cette tendresse pour lui a un nom : c'est l'amour de Dieu.

Qu'il serve ses frères, c'est bien, vient lui dire un jour frère Henri, mais les autres aussi ont besoin de lui. Le diocèse manque de curés. À Bolbec, l'un d'eux vient tout juste de décéder. Les paroissiens sont démunis. Ils n'ont plus personne pour célébrer les messes et donner les sacrements. Est-ce qu'il serait d'accord pour le remplacer ?

Christian est hésitant. Comment pourrait-il aider les autres alors que lui-même se sent si faible et si fragile ? Henri l'encourage : il l'a déjà fait par le passé ; partout il a laissé un souvenir formidable ; il se débrouillera très bien ; et puis il aura toujours ses frères ici, la communauté où il reviendra deux ou trois jours par semaine, l'heure est venue pour lui de porter de nouveau la parole de Dieu là où les hommes en ont soif.

Alors Christian prend la route de Bolbec. Il célèbre la messe du dimanche, et confesse veuves et retraités. Il donne des cours de caté aux gamins qui rêvent de filer pour aller jouer à la PlayStation, et marie les jeunes trentenaires en jaquette et couronne de fleurs que la foule applaudit à tout rompre au moment du baiser. Il se rend chez les gens du coin, casse la croûte ou boit un coup de pommeau avec eux, les écoute parler de leurs emmerdes – le fils qui se shoote et la femme qui se ruine aux machines à sous et le vieux qui ne peut plus rien tenir dans ses mains rongées d'arthrose. Il est le curé de campagne de Bernanos qui tente, à sa modeste mesure, de réfléchir un peu de la lumière de Dieu au fond de ces âmes troubles. Et tant pis s'il ne parvient à presque rien, si l'on se fiche d'un pauvre prêtre comme lui qui représente une France du passé, une France qui empeste la soutane et le bœuf-carottes, quand les jeunes du coin claquent tout leur argent de poche dans des Nike et vont bouffer au McDo de la zone commerciale. Avec eux aussi, il discute, mais sans jamais faire la morale, sans jamais leur imposer ses vues. Il veut les convertir par l'amour. L'écoute. Le don de soi. Naïveté, encore et toujours. Car il leur fait pitié, à vrai dire, ce grand dadais, avec sa sollicitude encombrante et ses fringues de pedzouille. Ils ont honte pour lui. Mais même cette honte, il la reçoit comme une grâce.

Après Bolbec, on l'appelle à Saint-Romain-de-Colbosc puis à Lillebonne puis à Notre-Dame-de-Gravenchon. Chaque fois, c'est un curé tombé en dépression ou qui vient de crever ou qui n'y arrive plus entre tous les clochers qu'il doit couvrir, faisant parfois jusqu'à vingt ou trente kilomètres pour enterrer une petite vieille ou baptiser un nourrisson enrubanné dans des couches de batiste et de dentelles. Et toujours, il se dévoue corps et âme à sa mission, sans jamais se plaindre, sans jamais rechigner, mû par une nécessité qui le dépasse. Aussi, quand Henri lui demande de le remplacer à Saint-Charles-du-Port, dans les quartiers sud du Havre, il n'hésite pas.

C'est un poste difficile, dans cette zone en déshérence qui borde les docks, où le parti communiste a toujours eu une forte influence. Beaucoup de familles de dockers, de retraités de la SNCF, de chômeurs aussi, depuis la fermeture des chantiers navals. Tout au bout, coincé derrière la centrale thermique d'EDF, dont les cheminées rougeoient comme deux immenses cigarettes dressées contre le ciel, se trouve le quartier des Neiges avec ses vastes entrepôts en tôle et ses voies de chemin de fer rouillées, ses enfilades de ponts et ses conteneurs posés au milieu des flaques d'eau, ses pavillons aux rideaux tirés et ses commerces abandonnés devant lesquels se promènent des mouettes solitaires. Et puis tout au bout, Notre-Dame-des-Neiges. Une des quatre églises dont il a la charge et qu'il se démène pour ne pas laisser dépérir. Mais il y a longtemps que les habitants de ces quartiers ont cessé de croire en Dieu.

Saint-Charles-du-Port. 31 426 habitants. 4 églises. 1 chapelle. 184 pratiquants soit 1 % de la population. 3 messes dominicales. 57 baptêmes. 7 mariages. 53 inhumations. 41 enfants catéchisés. Nombre de donateurs au denier de l'Église : 40.

J'ai trouvé ces chiffres dans une brochure conservée par Christian. Il savait que sa tâche était désespérée. Il savait qu'il était condamné à prêcher dans le désert et que le temps œuvrait contre lui. Il savait mais il n'a pas renoncé. Il s'est battu contre l'évidence. Il a fait ce que la foi commande : croire en l'incroyable...

Depuis longtemps déjà, l'église de Graville, au nord de la paroisse, menace de s'effondrer. Certains parlent de la raser. Mais Christian y voit un signe. Un appel digne de celui reçu par saint François dans la petite chapelle en ruine de San Damiano devant le Christ en croix. Il la reconstruira. Il relèvera ce temple et installera Dieu de nouveau en son centre. Voilà pour quelle raison il a échoué dans ces quartiers déchristianisés du Havre, où la pauvreté et la délinquance sont chaque jour plus présentes : il est venu porter l'espérance là même où elle a succombé.

Quand il s'est attelé à l'oratoire de San Damiano, perdu au milieu de la forêt, François transportait sur ses épaules les pierres des montagnes et les morceaux de bois nécessaires à la construction. Alors Christian, s'en inspirant, décide de tout prendre en charge lui-même. Il alerte l'évêque et obtient son aval. Mais réparer l'édifice serait trop onéreux. Il faut partir de zéro. Il entre aussitôt en contact avec l'économe du diocèse pour trouver des solutions. Impossible d'utiliser les fonds propres de l'Église, hélas. Christian imagine de vendre une partie du terrain à un bailleur social pour en faire des logements. Puis obtient un emprunt d'une grosse banque afin de financer le reste de l'opération.

Restent les paroissiens à convaincre ainsi que les habitants du quartier. Même s'ils ne sont pas croyants, beaucoup sont attachés au bâtiment. Il fait le tour des commerçants, organise des réunions d'information, les invite tous au premier coup de pelle du bulldozer pour les inclure dans le projet. Il a tenu compte de leur avis quant à l'architecture extérieure. Pour le reste, il a son idée : une église ouverte, avec le maximum d'éclairage naturel, et l'autel placé au centre. En évidence.

Durant deux ans, il ne manque pas une réunion de chantier. Discute en robe de bure au milieu des gravats avec les ouvriers. Veille à démonter pièce par pièce l'orgue de Cavaillé-Coll pour le conserver dans la nouvelle église. Puis vient enfin le jour de l'ouverture. Il a persuadé un professeur d'université d'écrire une messe pour l'occasion. Les carmélites du Havre ont accepté de quitter leur clôture afin de prêter leurs voix à celles du chœur de la paroisse. Clarinette, trompette, flûte traversière et orgue les accompagnent sous la direction d'un chef d'orchestre. La foule qui se presse dans l'immense salle est médusée de voir ce qu'il a accompli. Ces chants, cette lumière, cette ferveur. C'est comme une renaissance ! Christian se lève enfin et prend place derrière l'ambon pour lire une prière à Notre-Dame de Bonsecours qu'il a écrite lui-même : « Ils sont nombreux à chercher ta tendresse. Ils déposent en toi leur misère et leur foi. Et la grâce inonde leur sécheresse. »

À écouter l'enregistrement de la cérémonie, je m'étais imaginé un lieu éclatant de vie et de joie, mais en arrivant sur place, par un gris après-midi de février, j'ai compris qu'il ne restait plus grand-chose de cette journée où Notre-Dame-de-Bonsecours était revenue à la vie.

Suspendue à son arche blanche, la cloche de l'église s'élevait contre un ciel de plomb, dans une rue anonyme, où filait sans jamais ralentir la noria des automobiles. La porte ouverte donnait sur une vaste salle à la peinture immaculée. Un cube austère de béton et de lumière où pas un bruit ne résonnait. Pas un fidèle. Pas un froissement d'aube.

Là-bas vers l'est, dans le quartier de Soquence, la chapelle des Douze-Apôtres avait été rasée, laissant place à un immense cratère de chantier au milieu des barres d'immeubles. On avait suspendu depuis longtemps les offices en l'église Notre-Dame-des-Neiges, condamnée désormais. Chaque fois que j'appelais le secrétariat de la paroisse dans l'espoir de retrouver des témoins, la sonnerie résonnait dans le vide. Ce même vide que je contemplais à présent, comme si la foi avait déserté le monde.

Pourquoi Christian s'était-il obstiné de la sorte? Pourquoi moi-même poursuivais-je dans ce chemin que si peu voulaient emprunter désormais? Je regrettais parfois l'indolore butinage de ma jeunesse, quand je voletais d'un désir à l'autre avec la même légèreté et la même insignifiance qu'un papillon qui mourra le soir même. Sans doute est-ce une existence enviable, celle où l'on échappe au tragique de notre condition et où l'on tient, autant que possible, la souffrance à distance. Alors pourquoi ne pas s'en contenter? N'était-elle pas aussi vaine et creuse, cette église où les heures se succédaient sans que personne entre jamais?

Et pourtant je demeurais là. Une force me poussait avec une obstination douloureuse. Une force invisible qui cherchait à se formuler et dont je guettais, éreinté par tant de mois de recherche et d'écriture, la lente et impossible délivrance.

Au bout d'un long moment passé à prier et méditer sur le sort de Christian devant la dalle nue de l'autel, je me suis levé pour feuilleter un grand cahier à spirale Clairefontaine posé sur un pupitre. Des gens y avaient écrit des messages en souvenir de leur passage comme dans un livre d'or. Mais ce n'étaient pas des mots de remerciements ou de louanges, non, c'étaient des mots de désespoir rédigés dans un français incertain. Beaucoup l'avouaient : ils n'étaient pas même chrétiens, ils ne croyaient pas en un Dieu, pourtant ils auraient tant eu besoin d'un signe, d'une lueur d'espoir au milieu des malheurs qui les accablaient. Comment traverser la douleur et ne pas abdiquer quand plus rien n'a de sens? La même question revenait toujours et encore. Et derrière elle, le désir fou d'imaginer qu'un au-delà est possible.

Mon Dieu
aidé moi à me relevé
encore plus forte après tantes
de déceptions car je faiblie
j'arrive à un age ou je ne ces
pas ce que je fais encore sur
cette terre

Mon pere ou je ne sais pas comment
je doit vous appelé pour tout vous dire
je ne suis pas chretienne mais je croit
en vous. Ma mere et athé et mon pére
chrétien mais ils ne sont plus ensemble
je comprend pourquoi pour moi mon pere
et un monstre quand il veut
ma vie n'a jamais été facile
mais je remercie ma mere, emmener
la au paradis. Et vous aurez
fait mon bonheur.

Seigneur
aidez-moi à retrouver la force de
me battre. Je touche le fond. Mon
compagnon m'a quittée. Je l'aime,
mon moral est au plus bas. Mes enfants me
voie triste, affaiblie et je craque
souvent dans leurs bras. Je vous en
supplie ne me laisser pas. Merci
a vous seigneur. Amen.

*Chère papi vous nous manqer
ainormaimen j'aispair que
la au vous zaite protégé avec
mami je t'aime pour toujours!*

Des pages et des pages encore. Des deuils, le chômage, des vies fracassées et le besoin déchirant de trouver un réconfort spirituel. Au fil de ma lecture, je comprenais que cette église avait été bien plus qu'un lieu de culte pour Christian. C'était une prière. L'éternelle prière des hommes arrachés à Dieu depuis le fond des âges. Une prière qu'il avait voulu incarner dans la pierre pour que chacun sache qu'elle n'était pas prononcée en vain. Pour que leurs voix à tous portent vers le ciel et que le fait même de lever les yeux vers lui en l'implorant soit le signe de sa présence. Car tout comme la faim du nouveau-né présuppose l'existence de la nourriture, tout comme la brûlure du désir présuppose la satisfaction sexuelle, cette soif d'absolu au cœur des hommes présuppose une source première où tout le monde aurait la capacité de s'abreuver. Et de cette soif, de ce manque, de cette absence fondamentale, Christian avait décidé de faire la preuve de l'existence de Dieu. Geste insensé qui, dans cette église désertée, me paraissait plus puissant et plus invincible que tous les discours et les chiffres.

«Console-toi. Tu ne me chercherais pas si tu ne m'avais trouvé.» Là était la réponse que nous espérions tous au plus profond de l'angoisse.

39.

Jeudi saint. Le jour où le Christ a pris son dernier repas. Christian achève sa messe en l'église Notre-Dame-de-la-Victoire. Les rares fidèles se dispersent déjà. La pluie crépite sur le parvis. Une semaine que cela dure. Une semaine que le ciel a cette couleur de granit, terne et obstinée. Une dernière paroissienne vient le saluer avant de filer en s'excusant : le repas, les enfants... Toutes ces choses qu'il ne peut pas connaître. Il espère toujours que l'un d'eux lui demandera : dites donc, mon père, vous faites quoi pour le déjeuner ? J'ai préparé un poulet rôti... Mais non, personne ne songe jamais à l'inviter. Personne n'imagine qu'il n'a nulle part où aller, une fois la porte de l'église fermée. Ils ont partagé le corps et le sang du Christ ensemble, et ils retournent à leurs vies, le laissant seul à table devant le corporal, la patène et le calice qui garde encore la trace de ses lèvres. Ils le laissent seul dans cette demeure glaciale où ne résonne aucun bruit en dehors de la pluie butée et monotone.

Il range les objets de la liturgie dans la sacristie. Suspend soigneusement sa chasuble et son étole. Enfile sa grosse parka beige qu'il zippe jusqu'au menton, ouvre la petite porte qui donne sur une contre-allée et se lance, tête baissée, sous l'averse. Soudain tout bascule. Les maisons s'échappent, le ciel se renverse. Il s'écrase sur les pavés mouillés et une douleur inhumaine lui broie la jambe droite.

Une seconde d'inattention, une semelle qui glisse sur une marche, et le temps brusquement s'est déchiré. Il ne reconnaît pas cet homme qui gît sur le trottoir, le corps brisé, tandis que la pluie lui martèle le visage. Et pourtant, c'est celui-là même qui se tenait debout derrière l'autel, quelques minutes auparavant, pour célébrer l'eucharistie. Celui-là même qui rompait le pain et lançait d'une voix vibrante aux fidèles : « Prenez et mangez-en tous car ceci est mon corps livré pour vous. » Désormais il n'est plus qu'un râle affreux, une chair qui se contorsionne, un étranger affalé sur le sol humide qu'on aurait expulsé de sa propre vie.

Très vite, il discerne des visages, des voix. Un murmure de panique. « Il faut appeler le Samu. » « Non, laissez-le comme ça. Il ne faut pas le bouger. » « Ça va, monsieur, vous m'entendez ? Vous avez mal où ? »

C'est à peine s'il réagit. Tout son être est réduit à une seule note de souffrance. Même la sirène qui déchire la rue lui semble surgir d'une autre réalité. Tout comme les uniformes blancs et les gants bleu ciel qui s'agitent au-dessus de lui. Une jeune femme lui pose des questions auxquelles il n'est pas certain de répondre. Quelqu'un déchire avec un ciseau son pantalon. Il entend « fémur », « artère », « perfusion »… On lui a placé un oxymètre sur l'index et des électrodes aux fils jaunes et bleus sur la poitrine. On lui a relevé la tête pour lui passer un masque à oxygène, et il a l'impression que son âme se tient tout entière là, dans ce sachet transparent qui gonfle et dégonfle, son âme si fragile, si légère, qu'un rien pourrait la faire éclater.

Il sent son cœur faiblir, le froid qui le gagne malgré la couverture en aluminium qu'on lui a jetée dessus. La jeune femme tente de lui expliquer quelque chose à présent. Une anesthésie, l'hôpital, un brancard. Il n'est pas sûr de tout suivre. À peine s'il remarque l'aiguille qui pénètre sa chair, la nappe de chaleur remontant peu à peu le long de ses veines, et la douleur qui reflue comme un papier se rétractant dans les flammes avant de s'affaisser au milieu des cendres. Puis le noir, rien que le noir.

Il aurait pu y passer. Le fémur brisé, l'artère percée, le cœur qui lâche. Six mois d'hôpital. Un an en maison de rééducation. Des médicaments et des douleurs à vie. Et tout cela à cause d'une chute anodine. La faute à pas de chance. Sauf que Christian le sait : la chance n'a rien à voir là-dedans. S'il s'est écroulé sur cette chaussée détrempée, c'est qu'il était arrivé au bout. Il s'était esquinté la santé dans la construction de cette église. Il y avait sacrifié tout son temps et son énergie, et il avait attendu de voir son œuvre achevée, il avait attendu d'écouter l'immense cloche en fonte sonner les trois coups de l'angélus en ce jeudi saint pour s'effondrer enfin…

La dernière chose qu'il lui restait à vivre désormais, c'était sa mort. Il en avait l'intime certitude. Voilà pourquoi Dieu ne l'avait pas rappelé à lui, alors qu'il se tenait immobile sous les flèches glacées de la pluie, le visage offert au ciel. Voilà pourquoi il l'avait relevé une dernière fois d'entre les morts. Pour qu'il se prépare à sa rencontre. Pour qu'il commence à prendre congé de lui-même. Pour que, le jour où il se présenterait à lui, il lui tende ses lèvres et l'embrasse.

Personne autour de lui n'en a conscience. Ni les médecins, ni les infirmières qu'il taquine quand elles le déshabillent pour sa toilette intime – lui, un pauvre prêtre, un saint homme, elles n'ont pas honte, non? –, ni les franciscains qui improvisent parfois une messe dans sa chambre en se servant de la tablette médicale comme d'un autel, ni les gamins du centre de rééducation avec lesquels il se goinfre de pizzas le soir en les charriant sur les résultats pitoyables du HAC, leur club de cœur, ni les laïcs de sa paroisse qui viennent le visiter et l'emmènent en fauteuil roulant pour prendre des bières sur le port au milieu des mouettes rieuses qui lorgnent leurs cacahuètes, ni ses amis ou ses frères qui l'appellent sans cesse pour lui demander de ses nouvelles et finissent comme toujours par lui confesser leurs amours et leurs emmerdes. Mais lui le sait. La dernière épreuve approche. Et ce sera la plus terrible de toutes.

Il est encore immobilisé dans cette maison pour grands accidentés lorsqu'il apprend de la bouche d'Henri la fermeture prochaine de la fraternité du Havre. Vieillissement des effectifs, aucun frère ne s'est proposé pour venir : il connaît la musique. Mais il n'en éprouve cette fois aucune rancœur. Aucune amertume. À quoi bon se révolter contre ce qui surpasse notre volonté? La sienne est seulement faite de prière et d'écoute désormais. Alors il écoute Henri lui raconter les plus anciens qui partiront bientôt pour Nantes dans la maison de retraite des Franciscains, et frère Marcel qui n'a pas supporté la nouvelle et a fichu le camp on ne sait où, laissant son église vide et ses paroissiens désemparés, et lui-même qui a été chargé de vendre leur maison avant de partir pour Rennes, mais que Christian ne s'inquiète pas, il achèvera sa convalescence sur place jusqu'à la fin de son contrat avec le diocèse, ensuite on avisera, le provincial a parlé de le rapatrier à Orsay, en banlieue parisienne.

Christian réagit à peine. Orsay ou ailleurs. Les détails matériels de son existence lui semblent bien peu de chose en comparaison de celle qui l'attend. Même la douleur, même la souffrance, il la prend. Il la fait sienne. Et il ne s'agit pas seulement de sa jambe dislo-quée, ni de son dos qui le tyrannise plus que jamais, ni des polypes dont on doit l'opérer, ni des alertes cardiaques à répétition qui l'obligent souvent à foncer aux urgences, ce sont les quintes de toux qui lui déchirent la poitrine de plus en plus souvent, l'impres-sion d'être oppressé quand il marche trop longtemps, les myriades de petits poissons qu'il sent nager dans ses poumons et dont les médecins pensent qu'il s'agit d'une allergie.

À Orsay, il ne laisse rien paraître pourtant. Il s'échine à faire ce qu'il a toujours fait. Donner les sacrements et accompagner les groupes de prière, visi-ter les malades et les futurs mariés, célébrer ceux qui naissent et ceux qui meurent. Lors d'une homélie pour l'enterrement d'un de ses frères franciscains, il explique que chaque être est un cadeau donné par

Dieu. Nous ne le connaissions pas et pourtant il nous a été offert. Et ce cadeau, le jour venu, il faut savoir le retourner à Dieu. Car tout ce qui nous a appartenu n'a jamais été qu'à lui. Songe-t-il à lui-même lorsqu'il prononce ces paroles ?

Sans doute pas. L'homme qu'il a toujours été n'a déjà plus d'importance à ses yeux. Bien sûr, il se rappelle encore à lui parfois. Il a de fugaces bouffées de colère et de petits caprices de trois fois rien, des rêveries un peu puériles et de soudaines montées d'angoisse – mais quand il se tait enfin, quand il en a assez de trompeter au monde entier qu'il existe, alors une paix merveilleuse l'envahit. Qui ressemble peut-être à la mort quand, arrachés à nos corps, nous serons tous réunis dans un seul et même amour.

Même lorsque le provincial, qui l'a toujours dans le nez, lui refile un dossier des plus pénibles – une obscure opération immobilière sur un terrain appartenant à la fraternité –, il ne bronche pas. Et pourtant, il y aurait de quoi. S'occuper de plus-value et de retour sur investissement, lui qui a renoncé à tous ses biens pour faire vœu de pauvreté ! Qu'il semble loin, le temps où François, devant les cardinaux lui reprochant de ne rien vouloir posséder, pas même d'abbaye ou de prieuré, leur avait rétorqué : «Mes seigneurs, si nous avions des terres, il nous faudrait des armes et des lois pour les défendre.»

Ce temps-là, peut-être que d'autres à l'avenir viendront les ressusciter, peut-être que d'autres reprendront son bâton de pèlerin, mais lui n'en a plus ni l'âge ni la force.

Un matin, au sortir de la messe, il fait un malaise. À l'hôpital, on lui diagnostique un épanchement pleural. Marcelle, une paroissienne, vient aussitôt le visiter, accompagnée de sa sœur. Comme elle sait qu'il raffole de sucreries, elle lui a apporté sa fameuse recette de crème aux marrons. Malgré la fibroscopie à laquelle il s'est soumis et le drain qu'on vient de lui poser, Christian s'en ressert par deux fois. Les deux femmes sont étonnées de lui voir un tel appétit. Le lendemain, Marcelle revient, seule cette fois. Sa sœur a tenu à lui faire porter une nouvelle ration de crème aux marrons.

«Ah, ma Marcelle, s'écrie Christian en la voyant arriver. Je t'adore, mais pitié, pas la crème aux marrons!

— Je ne comprends pas, vous avez fini tout le plat hier, proteste celle-ci.

— Parce que je ne voulais pas faire de peine à ta sœur. Mais, entre nous, je déteste ça, la crème aux marrons.

— Oh, mon père, je suis désolée, vous auriez dû me dire.

— Mais non, mais non, ce n'est pas grave. On va bien trouver quelqu'un ici qui aime ça, la crème aux marrons. Mais chut, surtout tu ne lui diras rien. Je ne voudrais pas la vexer.»

Et quand Marcelle repense à cette scène, elle a les larmes aux yeux. Parce qu'à cet instant il savait déjà, mais tout ce qui lui importait, c'était de trouver quelqu'un dans l'hôpital pour manger cette fameuse crème aux marrons. Il avait appelé les infirmières les suppliant de l'aider. Son histoire les avait fait beaucoup rire, et elles s'y étaient toutes mises pour venir à bout du plat. «Il faut qu'il ne reste rien, rien, pas une trace, les encourageait Christian. Sinon madame ne sera pas contente. C'est sa spécialité, vous comprenez, la crème aux marrons. Elle y tient beaucoup!»

Il savait depuis le matin même qu'il était condamné.

40.

«Loué sois-tu, mon Seigneur, pour notre sœur la Mort corporelle à qui nul homme ne peut échapper.»

Sa sœur... Voilà comment saint François appelait la mort. Et il l'avait appelée ainsi alors même qu'il se trouvait au cœur de l'agonie. Alors même que, depuis des semaines, son corps n'était plus qu'un vieux chiffon en lambeaux. Des plaies partout, des accès de fièvre continus, des crampes d'estomac et des douleurs osseuses qui l'empêchaient de se tenir debout. Il payait toutes ses années à soigner les lépreux, à dormir sur la pierre, à se nourrir de baies et de pain rassis. D'Égypte, il avait rapporté un trachome qui l'avait quasiment rendu aveugle. Il devait se couvrir sans cesse la tête d'un capuchon auquel on avait cousu une bande de lin pour masquer ses yeux tant la lumière du soleil le torturait. Des médecins incapables avaient aggravé ses souffrances en tentant de cautériser au fer rouge toutes les veines qui allaient des tempes aux paupières, puis en perforant ses oreilles. Depuis quelque temps déjà, il crachait du sang et sa peau s'était couverte d'ulcères purulents.

Et pourtant, quand il avait pris la plume pour écrire son *Cantique des créatures*, il avait appelé la mort «sa sœur». Au même titre que l'eau et la lune et le vent et les étoiles. Au même titre que la terre et les fleurs et le feu et le soleil. La mort était sa sœur, et il l'aimait. Et il la louait. Et il lui rendait grâce d'exister. Pas seulement parce qu'elle était, comme les autres, partie de la création. Mais aussi parce qu'elle donnait à vivre cette même création comme un mystère. Elle était cette présence muette qui rendait toutes les autres présences plus vibrantes et plus vraies. Elle nous enseignait l'humilité et la fragilité de tous les êtres, nous ouvrant ainsi à l'amour. À la joie. Aux larmes. À cette solidarité originelle entre tous les éléments de l'univers. Elle était cette grande sœur qui nous disait de ne pas trop nous la raconter car, comme tous les enfants, on a si vite tendance à se croire le centre du monde. Et oui, elle pouvait être dure et cassante et nous faire souffrir parfois, mais aurions-nous vu le monde comme il mérite d'être vu si elle ne nous y obligeait pas?

Sans doute un poème est-il peu de chose quand la douleur nous écrabouille comme un vulgaire insecte. Mais j'imagine qu'il l'a accompagné dans ces heures noires quand il s'est évanoui après sa première chimio, puis qu'il a été opéré d'urgence pour qu'on dégage son cœur. Ces mots qu'il connaissait par cœur étaient là alors que les nausées et les douleurs osseuses et les épanchements d'eau dans ses poumons l'obligeaient à se tenir assis des nuits entières sans trouver le sommeil.

À travers eux, François ne lui demandait pas de rechercher la souffrance mais simplement de l'accepter. Comme il avait accepté les fous rires entre cousins et les lèvres d'inconnus et les joies simples et sévères d'un pauvre frère franciscain. Il lui demandait d'accepter tout ce qui lui était donné – la tristesse comme le bonheur – car c'était une seule et même chose. Il lui demandait de croire que cette souffrance n'était pas vaine. Qu'elle était une manière déjà de faire le deuil de lui-même. De le réduire à cet état de parfaite impuissance qui avait été le sien à sa naissance. Qui avait été le sien depuis toujours. Et dans cette impuissance même, il reconnaîtrait sa puissance à Lui.

Tout son corps n'était plus qu'une prière ardente. Il tremblait devant ce qui l'attendait et en même temps il demandait à Le voir. Il ne voulait pas manquer ce moment, mais ce moment le faisait mourir d'angoisse. C'est comme si toute sa vie allait enfin prendre sens et qu'à l'instant de tourner la dernière page il hésitait. Un affreux doute le saisissait.

Le matin même, on les a prévenus. Il ne passerait peut-être pas la nuit. Ils sont montés dans leur voiture et ont conduit jusqu'au CHU. Quand il les a vus, Christian a tout de suite compris. Il a fermé les yeux comme un enfant feignant de dormir. Fermé les yeux en espérant qu'au moment de les rouvrir ils auraient disparu. Mais quand il a écarté les paupières de nouveau, ils étaient toujours là, assis de part et d'autre de son lit, à lui sourire. Le premier lui a tendu la main et l'autre a sorti son bréviaire pour réciter la prière des agonisants. Cette prière qu'il avait récitée tant de fois à d'autres mourants, il ne pouvait croire que c'est à lui qu'elle s'adressait à présent.

La peur tordait son visage. Son cœur se serrait devant l'immensité ahurissante de ce mystère vers lequel il s'avançait. Il aurait voulu avoir du temps encore. Il avait médité ce moment si souvent, mais, à présent qu'il était venu, il ne se sentait pas de taille. Allait-il défaillir à l'instant le plus crucial de sa vie?

L'idée de décevoir ses frères, qu'ils lisent la terreur dans son regard, ajoutait à son angoisse. La petite bête du moi prise au piège se débattait encore. Cette petite bête qui avait toujours été l'ennemie de Dieu.

Il tressaille soudain en entendant son nom dans la bouche de son frère: «Nous te prions pour Christian. Pardonne-lui tous ses péchés. Donne-lui courage dans sa maladie. Souviens-toi de lui, Seigneur!»

Souviens-toi de lui... Ils parlent de lui comme s'il n'était déjà plus de ce monde. Son frère se lève et impose ses mains sur son front trempé de sueur, les doigts dans ses cheveux. Peut-être est-ce la dernière personne qui le touchera. La dernière fois qu'il éprouvera un contact humain sur sa peau.

Dans sa douleur, ce contact lui paraît d'une douceur infinie, et le regret l'étrangle à l'idée de tous ces gestes de tendresse qu'il a reçus. Tous ces moments où il s'est senti aimé et qu'il ne connaîtra plus. Il aimerait retenir cette main pour toujours contre lui. Épouvante remontée du fin fond de l'enfance quand sa mère l'embrassait à l'heure du coucher, avant de quitter sa chambre et de le laisser seul dans le noir.

Et maintenant, y aura-t-il encore quelqu'un dans le noir lorsqu'il appellera?

Son frère trempe ses doigts dans l'huile des malades et fait une trace sur le front du mourant, puis au creux de ses paumes. «Christian, à travers cette onction sainte, reçois la force, reçois la lumière, reçois la tendresse de Dieu.»

Alors soudain une tension en lui se relâche. Il ne saurait dire ce que c'est. La compassion de ses frères. La décision de se rendre enfin. L'Esprit saint qui descend sur lui... Comme s'il se laissait tomber en lui-même et que des bras étrangers le rattrapaient. Il n'y a plus ni sol ni plafond, seulement l'immensité dans laquelle il se dissout peu à peu. Une clarté surnaturelle irradie son visage, et il a la sensation fulgurante de se retrouver sur cette route d'Espagne. La sensation fulgurante de n'avoir jamais été autant aimé de sa vie. Soudain tout prend sens. Toute sa vie se trouve justifiée. Il entrevoit l'éclatante vérité dans toute sa nudité. Et il acquiesce de tout son être à cette lumière qui l'appelle.

Épilogue

41.

Il y a peu de temps, je suis revenu vivre en France pour des raisons professionnelles et je me suis trouvé à un dîner avec l'avocat de Guy Georges, le tueur en série de l'Est parisien. L'occasion pour moi d'évoquer de nouveau l'affaire Dupont de Ligonnès et un point en particulier sur lequel depuis longtemps je cherchais conseil.

Le guide qui m'avait accompagné dans mon ascension du Rocher de Roquebrune, à côté de l'hôtel Formule 1, m'avait téléphoné récemment : un de ses amis du club alpin avait découvert presque au sommet un sac de couchage, trois jours après les fouilles effectuées dans la zone par la police. Le mistral avait soufflé fort la veille, arrachant sans doute le sac à l'éperon rocheux tout en haut de la montagne. Or personne n'aurait pu songer à passer la nuit dans cette zone escarpée, éloignée des sentiers.

Son ami avait immédiatement apporté le sac de couchage au commissariat de Draguignan, mais les policiers de garde ce jour-là n'en avaient fait aucun cas. Les CRS et les secouristes avaient passé le Rocher au peigne fin ; sans doute s'agissait-il d'un randonneur venu lui-même faire sa propre enquête ; en tout cas, ils ne voyaient pas l'intérêt de le conserver. Ce membre du club alpin avait donc remisé le sac dans son garage au cas où un jour quelqu'un se manifesterait.

Quand je l'ai appelé quelques semaines plus tard, il a accepté volontiers de me le confier. Stupeur en l'ouvrant : au fond, une chaussette de sport Candy taille 43-46, la pointure de Ligonnès. Cette chaussette blanche, maculée de terre et qui empestait l'humidité, m'offrait un nouvel espoir : celui de trouver, sous la forme de rognures d'ongles ou de peaux mortes, des traces d'ADN. Une fois les analyses faites, il me suffirait de les comparer avec celles de sa sœur, et alors peut-être que…

Cette piste était l'une des plus consistantes que je tenais. Elle corroborait ma thèse selon laquelle Ligonnès ne s'était pas suicidé après avoir quitté le parking du Formule 1, mais qu'il s'était évaporé dans la nature et qu'il était sans doute quelque part dans le monde. En vie. Sinon pourquoi ne s'être pas supprimé tout de suite après le drame ? Pourquoi avoir inventé ce scénario tarabiscoté pour expliquer sa disparition ? Pourquoi cette échappée en voiture jusque dans le sud de la France ?

Je n'avais aucun moyen de réaliser ces tests, hélas. En France, tous les laboratoires d'analyses étaient catégoriques : il leur fallait être saisis par un juge ou la police judiciaire pour effectuer de tels examens. Quant aux labos contactés à l'étranger, ils considéraient l'échantillon comme trop ancien pour y déceler des traces significatives.

En attendant de trouver une solution, j'avais déposé le sac chez ma mère, dans le sud de la France aussi, où il reposait sur une étagère, au fond de la cave, parmi les palmes, les masques et les raquettes de plage. Chaque fois qu'un ami était invité à dormir dans la chambre située au-dessus, je prenais un malin plaisir à lui raconter dans les détails cette histoire : il allait passer la nuit entière avec Ligonnès à proximité ! Tous avaient la même réaction effarée alors, hésitant entre l'horreur et les rires. Pour eux, aucun doute : le psychopathe, c'était moi.

Voilà ce que j'ai raconté à l'avocat de Guy Georges, espérant qu'il apporte une solution à mon problème. Mais, à ma grande surprise, la chaussette de Ligonnès ne semblait guère l'intéresser ; il ne voyait pas vraiment quel recours il me restait. Tout juste a-t-il conclu avant qu'on se sépare : «Vous savez, cette histoire de sac de couchage, c'est un très bon point de départ pour une psychanalyse.»

Une psychanalyse, je n'étais pas sûr. J'avais déjà Margarita. Mais je devinais très bien où il voulait en venir : à travers cette affaire, j'avais cherché à m'échapper de moi-même, troquant ma place contre celle du disparu. C'était moi qui sommeillais dans ce sac de couchage. Ou plutôt j'y trouvais la possibilité à chaque instant de m'y cacher. Lorsque j'envoyais à Ligonnès des messages sur son compte Facebook au nom de Waylon Jennings, lorsque je passais des heures sur Google Earth à scruter l'atelier de bijoux munichois de son grand amour de jeunesse dans l'espoir qu'il m'apparaisse enfin, lorsque je m'introduisais dans le château de sa famille à Chanac en me faisant passer pour un amateur de belles pierres, je ne faisais que me projeter dans une fiction qu'il avait créée de toutes pièces, car, au fond, j'avais peur d'habiter ma propre vie. Ce livre inachevé avait été une manière de fuir l'angoisse, mais cette angoisse désormais était morte. La foi m'avait appris à acquiescer au monde dans ses joies comme dans ses souffrances. Et seul ce sac de couchage me retenait encore à la tentation d'échapper au réel. En faire le deuil, je le comprenais enfin, c'était reprendre ma liberté.

C'est vers cette époque que mon ami Bruno m'a appelé : il avait commencé à écrire un récit sur l'affaire et cherchait un éditeur. Bruno avait rencontré Ligonnès à l'adolescence, dans un lycée versaillais où ils étaient tous deux scolarisés, et avait gardé le contact avec lui au fil des années. Je l'avais interrogé plusieurs fois sur le sujet et il m'avait donné une foule de détails impressionnants. Si je n'écrivais pas ce livre, j'étais heureux que lui le fasse. Alors j'ai appelé un autre copain éditeur, Ludovic, et arrangé un déjeuner.

Bruno et Ludovic ont tout de suite accroché. Plus je les écoutais parler avec passion de cette histoire, plus j'avais l'impression de m'en effacer. Je suivais leur conversation en silence tout en me demandant comment j'avais pu être obsédé par cet homme durant tant d'années : je n'avais rien à voir avec lui, mais peut-être pire encore, j'étais son opposé. Une sorte de double inversé. C'était soudain d'une évidence foudroyante : je cherchais le diable et j'avais trouvé Dieu ; il avait cru en Dieu et était devenu le diable…

Lorsque Margarita m'avait poussé à écrire durant ces jours où j'étais terrassé par le désespoir, se doutait-elle du chemin que j'emprunterais ? Savait-elle déjà quelle vérité je découvrirais ? Je l'ignore, mais elle avait eu raison sur un point au moins : c'est ce livre qui m'avait sauvé. C'est ce livre qui m'attendait depuis toujours dans la nuit du Barroux.

Longtemps je m'étais demandé quoi faire de cette révélation, mais la réponse était là, depuis le début : l'écrire, en témoigner, réverbérer cette parole qui donne vie. Chacun, selon ses défauts et ses talents, est appelé à le faire. Je n'aurais jamais le génie ni la force d'amour d'un saint François, je n'aurais jamais le courage ni le sens de la charité de Christian, mais Dieu m'avait donné d'aimer les mots et, à ma modeste manière, c'était par les mots que j'avais essayé de lui donner chair.

Au retour du déjeuner, je suis passé chez moi. C'était mercredi, et les enfants étaient à la maison. Tadzio m'a sauté dessus et s'est accroché à moi comme un petit singe, enfouissant sa tête et ses cheveux d'ange dans le creux de mon cou. Je pouvais sentir son cœur tambouriner contre le mien à cause de la course, et cette course effrénée pour venir jusqu'à moi me paraissait à cet instant un cadeau incomparable.

Paloma répétait un air au piano. Une chanson très lente, très belle, de Billie Eilish. Elle lisait la partition, son beau visage tendu et concentré, comme s'il n'existait rien d'autre au monde que ces accords si simples, si limpides, et ces paroles en anglais qu'elle chantait avec une justesse parfaite. Une justesse qui ne cessait de me sidérer. On aurait dit qu'il n'existait aucun obstacle, aucune perte quelconque, entre la note musicale et sa voix chaude et lumineuse dont les vibrations résonnaient jusqu'au fond de mon être.

Je me suis assis avec Tadzio toujours agrippé à mon cou pour l'écouter, et soudain je me suis souvenu de cette phrase de Julien Green où il dit que la grâce est comme un accord parfait au piano, et le péché cette distraction qui soudain nous fait sonner faux. Le péché qui n'est pas la faute, qui n'est pas la tache, mais le fait tout simplement de tomber à côté. De manquer la note juste. Et combien de fois dans la vie on tombe à côté, et combien de fois dans la vie on ne fait pas attention et l'on commence à jouer de travers. Mais aucune de ces fausses notes n'est grave si l'on sait. Si l'on en revient au visage tendre et sérieux de l'enfant sous les traits duquel, à chaque instant, la grâce attend de surgir.

Remerciements

Un livre a toujours de nombreux auteurs, écrivait Paul Sabatier, théologien et auteur d'une étude critique sur saint François. Ils seraient trop nombreux ici à nommer, ceux qui m'ont apporté leurs lumières. J'ai une pensée toute particulière pour tous les frères et toutes les sœurs qui ont croisé la route de Christian, ainsi que pour sa famille proche : Emmanuel, Alix, Foulques, Bernard et Hélène.

Je remercie également ceux qui m'ont soutenu, au cours de ces quatre années d'écriture, et ont cru en ce livre : Sophie Charnavel, Élisabeth Samama, Ludovic Escande, Margarita Porcel, Rani Massalha, Alexis de Montaigu et Sofia Achaval.

Que grâce leur soit rendue.

Remerciements de l'éditeur

À Élisabeth Samama, pour cet ouvrage publié avec sa complicité.

Pour en savoir plus
sur les Éditions Plon
(catalogue, auteurs, vidéos, actualités…),
vous pouvez consulter
www.plon.fr
www.lisez.com

et nous suivre sur les réseaux sociaux

 Editions Plon

 @EditionsPlon

 @editionsplon

CET OUVRAGE
A ÉTÉ ACHEVÉ D'IMPRIMER
SUR ROTO-PAGE
PAR L'IMPRIMERIE FLOCH
À MAYENNE EN OCTOBRE 2020

N° d'impression : 96908
Dépôt légal : août 2020
Imprimé en France